YAMEN MANAI

L'amas ardent

ROMAN

Ouvrage publié avec le concours de l'Institut français
de Tunisie. Programme d'aide à la publication
Salah Garmadi 2017.

L'amas ardent

DU MÊME AUTEUR

La Marche de l'incertitude, roman, Elzévir, 2008 ;
Elyzad poche, 2010.
La Sérénade d'Ibrahim Santos, roman, Elyzad, 2011.

[Et voilà] ce que ton Seigneur inspira aux abeilles : « Prenez des demeures dans les montagnes, les arbres et les treillages que [les hommes] font. Puis mangez de toute espèce de fruits, et suivez les sentiers de votre Seigneur, rendus faciles pour vous. » De leur ventre, sort une liqueur, aux couleurs variées, dans laquelle il y a une guérison pour les gens. Il y a vraiment là une preuve pour des gens qui réfléchissent.

Le Coran. *Les Abeilles*, 68-69.

LE CHAOS

0.

Le yacht long de cent mètres quitta la Sardaigne tôt le matin. Hormis l'équipage sobre par obligation, toute l'embarcation souffrait d'une gueule de bois et il n'y en eut pas un ou une qui ne peinât à retrouver ses sous-vêtements au réveil. Le prince écarta de lui les corps dénudés, enfila un peignoir en soie et se fraya un chemin entre les talons aiguilles et les jouets à pince. Alors qu'il titubait dans le bazar, il s'emmêla les pieds dans un gros slip satiné frappé de têtes de Mickey et eut quelques flashs de la nuit de la veille. Il s'en défit avec un large sourire et reprit son chemin vers le bridge. Le soleil était franc. À sa vue, un de ses serviteurs se précipita pour lui apporter des lunettes de soleil, un café et un cigare.

Le bateau fendait la Méditerranée telle la nef d'un conquistador. Le rocher de Sidi Bou devrait se profiler en début de soirée. Malgré ce décor de vacances, le prince était en voyage d'affaires. S'il avait stationné la veille au paisible port de Santa Teresa di Gallura, c'est que Silvio Cannelloni l'y attendait pour parler business.

Ce n'étaient pas les sujets de discussions qui leur manquaient. Tous deux étaient politiciens d'influence, présidents de puissants conglomérats de médias et de télécommunications, et aussi propriétaires de prestigieux clubs de football européens. À l'agenda de leur rencontre, le sort de Mamar et le transfert de Thor. Tout s'était passé comme prévu, avec en prime le bonus légendaire de Silvio qui faisait que le ban et l'arrière-ban aimaient traiter avec lui. Sacré Silvio, se dit-il en lui composant un message sur son smartphone :

Tu as encore oublié ton slip

La réponse ne tarda pas :

Garde-le pour Mamar, il risque d'en avoir besoin

La veille, sur le bateau, ils avaient abordé le transfert de Thor en premier.

— Commençons par le plus simple, suggéra Silvio.

— Mamar ? répondit le prince, feignant l'innocence.

— *Cazzo !* Arrête de te foutre de moi, grogna Silvio. Non, ça c'est compliqué. On va parler football d'abord.

— Comme tu veux, rit le prince à ses mimiques.

Le vieux chancelier était obsédé par sa jeunesse et ses artifices pour l'invoquer rendaient sa dégaine improbable : cheveux teints, visage lifté, lèvres botoxées, et le tout emballé dans un costume trop serré. La classe internationale, ce Silvio.

— Avec le salaire que tu lui as promis, l'animal veut partir. Je ne peux plus le garder, mais je ne compte pas le brader non plus.

— Annonce ton prix, répondit l'autre avec décontraction.

Mino Thor était le footballeur vedette du moment. Un colosse venu du Nord aux allures et aux mœurs de viking, capable d'envoyer des ballons à plus de deux cents kilomètres à l'heure et de marcher sur un adversaire à terre rien que pour le plaisir de l'humilier.

— Soixante millions d'euros officiels, et dix pour la peine que tu vas me causer. C'est une idole à Milan, je vais me faire insulter par les tifosi pendant des mois !

— Marché conclu.

Puis ils avaient abordé le sort de Mamar.

— Je ne suis pas d'accord, lança Silvio d'emblée.

— On a réussi à s'entendre avec les chefs de tribus. On va réussir à s'entendre avec toi aussi.

— Vous allez vraiment le zigouiller ? demanda Silvio.

— Cela semble inévitable, répliqua le prince.

— Envoyez-le en exil ! Regarde le Beau, il est bien, en Arabie.

— Le Beau est un ringard, sa vie ne vaut rien. Mamar sait trop de choses et beaucoup de gens ont profité de son argent.

— S'il meurt, les Bédouins vont réclamer sa fortune. Son argent sera confisqué et ses biens vendus à leur solde. Ça va vider pas mal de poches ici !

— Pas toutes. Tu en garderas une partie au moment des saisies, compléta le prince.

Silvio avait cruellement besoin d'argent. Il avait pas mal de juges à arroser et une élection à financer pour regagner son immunité parlementaire. Le marché lui sembla honnête.

— Pauvre Mamar, il m'était sympathique, s'accommoda Silvio.

— Comme on dit chez vous, appuya le prince, rien de personnel. C'est uniquement les affaires.

Silvio acquiesça de la tête.

Le prince reprit :

— Il nous faut avoir la même ligne politique et médiatique globale. Dans toutes les tribunes, en Orient comme en Occident, il faut marteler ce message : le seul moyen de rendre leur liberté aux Bédouins, c'est de renverser le tyran Mamar qui les persécute. Sur le terrain, ce sont les alliés qui mèneront le bal.

L'Italien émit un sifflement impressionné :

— Les alliés qui mèneront le bal ?

— Absolument.

Le prince n'en dit pas plus, même si le plan était déjà échafaudé. Bounty chargerait le fief de Mamar depuis la mer, Nico parachuterait des armes sur la tête des Bédouins, chacun aurait sa kalach, partout les balles gicleraient, et dans l'ambiance hasardeuse, Mamar finirait bien par s'en prendre une. Voire même plusieurs. Certaines dans la tête...

— Parfait, conclut Silvio. Il regarda sa montre. J'aime les affaires qui se règlent vite. Maintenant, on va fêter ça !

Le barbon sortit son téléphone. Un coup de fil et dans le petit port s'ensuivit un défilé de limousines et de mannequins au nez poudré, des flots de champagne brut et de champagne rosé, et une avalanche spectaculaire de pilules multicolores. Sacré Silvio.

Le prince exhalait la fumée de son Cohiba[1] face à l'horizon dégagé. Et quand bien même il n'aurait pas été dégagé, il l'aurait dégagé. Il était le prince le plus en vue d'un parterre de progéniture royale qui œuvrait activement à l'hégémonie et à l'essor du royaume du Qafar ! Ce sentiment de puissance fit naître en lui une onde relaxante qui parcourut son corps de haut en bas, lui extirpant au passage un long pet sonore.

Même s'il était d'une taille risible et d'une histoire approximative – les adjectifs pouvant aisément s'inverser –, le Qafar nourrissait des ambitions sans limites, à l'image de ses ressources naturelles en gaz récemment découvertes. Les gisements étaient si prolifiques qu'ils bouleversèrent à jamais le destin de ce petit royaume, jadis paisible village de pêcheurs de perles.

---

1. La fleur des cigares cubains.

C'est du gaz que le Qafar tirait sa puissance et sa fortune. Ce n'était d'ailleurs un secret pour personne et dans les mœurs du royaume il ne fallait surtout pas se gêner, plus le pet était odorant et sonore, plus il obtenait la clameur des convives. Selon les anciens, et au royaume du Qafar la parole des anciens faisait office de vérité, c'était grâce à l'alliance de leur aptitude naturelle pour le pet et de leurs coutumes spartiates, qui les sommaient de s'asseoir le cul à même le sable, que le sous-sol de ce petit patelin désertique fut chargé en quantités hallucinantes de butane. Au point que, pour ne pas froisser les conservateurs, le premier roi Abdul Ban Ania, progressiste sur certains points, avait déclaré :

— Il y a suffisamment de gaz sous terre pour qu'on puisse commencer à s'asseoir sur des chaises.

S'était alors enclenchée une modernisation qui laissa bouche bée la moitié de la planète. Une industrie de liquéfaction à la pointe de la technologie, des gratte-ciel plantés en pleine mer, des chaînes d'information internationales d'un professionnalisme épatant, et des aéroports pour une compagnie aérienne parmi les mieux équipées au monde.

Les ambitions débordaient des frontières et en dix ans à peine, les investissements foisonnaient à l'étranger, de même que l'hégémonie exercée sur les pays voisins les plus fragiles, ce que les mauvaises langues qualifient d'ingérence. Au diable les mauvaises langues !

Depuis le cockpit, le capitaine le salua d'un geste de la main. Le prince répondit en pointant sa montre.

— On y sera dans quatre heures, lança le capitaine.

— Parfait !

Son appétit s'aiguisait...

Bientôt apparaîtrait le rocher de Sidi Bou, où d'autres affaires l'attendaient. Bientôt, cette terre tomberait sous la coupe du royaume.

Le prince n'était pas le premier à convoiter ce pays. Avant même ses frontières actuelles, il attisa les convoitises et fut l'objet de nombreuses conquêtes. À l'origine terre de tribus berbères, il fut tour à tour abri des Phéniciens, grenier des Romains, butin des Vandales, port des Byzantins, paradis des Arabes, annexe des Turcs, colonie des Francs... *Maintenant, c'est au Qafar d'en prendre les commandes*, se dit-il en se frottant les mains. Car si la verdure en voie d'extinction et les plages polluées de ce havre d'antan ont aujourd'hui du mal à faire rêver, sa position géostratégique demeurait alléchante : à droite comme à gauche, deux immenses étendues d'hydrocarbures que les puissants du monde, sans exception, avaient en ligne de mire.

Acheter ce pays mètre carré par mètre carré, voilà un caprice que pourrait lui permettre son argent mais que lui interdisaient la constitution et le droit international. Les peuples s'autodéterminent, paraît-il. Tant mieux pour eux, mais allait-il rester les bras croisés ? Il n'y avait pas de cités imprenables ni de murs infranchissables. De surcroît, le contexte ne pouvait pas lui être plus favorable.

En effet, après des décennies de dictature, ce peuple avait surpris son monde. Il s'était soulevé, avait réalisé la révolution et appelé à l'autodétermination et à la démocratie. À la bonne heure ! Qu'y a-t-il de plus facile à détourner que la démocratie ? Comme la plupart des choses du domaine de l'Homme, la démocratie était avant tout une affaire d'argent, et le prince n'en manquait pas.

Les premières élections libres allaient bientôt se tenir et dans la course au pouvoir, il avait un poulain. Le Cheik, figure locale, était un membre éminent de la confrérie religieuse que finançait le royaume, et son parti, le Parti de Dieu, longtemps clandestin, était affilié à sa doctrine rigoriste. Voilà que la révolution avait redoré son blason, lui donnant une légitimité politique et dopant même son audience. Aux yeux de beaucoup, le Parti de Dieu avait des chances de sortir vainqueur des urnes et de voir ses membres illuminés composer le premier gouvernement démocratiquement élu de l'histoire du pays.

Pour sponsoriser sa marche victorieuse, le prince avait prévu ce qu'il fallait. La cale du yacht était chargée comme un navire de marchandises, remplie à ras bord de cartons d'habits et de caisses de conserves. Avec quelques mallettes de billets verts, il y avait l'arsenal de séduction nécessaire pour rafler les voix des misérables, et de misérables le pays ne manquait pas.

— Voilà de quoi animer vos stands et de quoi mener une belle tournée dans l'arrière-pays. Faites campagne au nom de Dieu. Distribuez les cartons au nom de Dieu et du Parti de Dieu, recommanderait-il au Cheik, dans la belle soirée qui s'annonçait.

Les mannequins que Silvio avait oubliées avec son slip satiné commencèrent à sortir et à flotter l'une après l'autre dans la piscine. Mais avec le prince, elles n'étaient pas les seuls insectes. Dans les caisses entassées dans la cale du yacht, il y en avait davantage.

De tout temps, les cadeaux des princes sont empoisonnés.

1.

Nul n'ignorait que le Don aurait donné sa vie pour ses filles, et cela sans la moindre hésitation. Par amour pour elles, il était capable de tout. Ne leur avait-il pas voué son existence, montant pour elles de nombreuses citadelles ? Ne s'était-il pas mesuré à un ours de Numidie juste pour leur offrir les plus belles fleurs ? N'avait-il pas rompu avec les princes et les amours, pour se consacrer entièrement à elles ? Ainsi, quand la nouvelle de la mort de certaines d'entre elles dans des circonstances troubles se propagea de bouche en bouche, une réaction paraissait inévitable.

Le Don n'aimait pas faire étalage de ses problèmes. Il était de nature plutôt taciturne et si la nouvelle se répandit dans le village de Nawa, c'est que ce matin-là, le petit Béchir courait dans les champs comme à son habitude les premiers jours du printemps. En s'approchant des colonies du Don, établies sur la colline la plus fleurie, il aperçut l'homme qui se lamentait à genoux devant les corps mutilés de nombre de ses filles, alors que les autres voltigeaient autour de lui, comme pour le consoler. Le petit Béchir n'était qu'un enfant et ne savait pas tenir sa langue. Du coup, au bout d'une heure, tout Nawa savait et tout Nawa fut indigné, d'autant que personne ne connaissait au Don un ennemi, ni à ses filles. Il est vrai que c'était un personnage singulier et qu'il pouvait parfois piquer des colères, mais chacun des Nawis l'appréciait et le tenait en haute estime. Le mystère était donc total.

Cela n'empêcha en rien les langues d'épiloguer et la journée entière on ne fit que parler de ça, des saisons qui n'y étaient plus et du monde qui allait à sa fin.

— Ça s'est passé en plein jour ! affirma Bicha le coiffeur.

— Elles étaient éventrées, coupées en deux, déplora Douja auprès de Baya, venue lui acheter du sucre.

Quand on sonda l'avis des anciens, ils surenchérirent :

— Ce sont là, à l'évidence, les signes d'une malédiction.

Mais la version participative construite à partir du témoignage du petit Béchir n'était que pain de patience. On avait hâte de voir le Don et d'entendre sa propre version et ses probables conclusions.

À la tombée du soir, les lumières mourantes esquissaient la silhouette droite du Don le long des murs. Il remontait les ruelles d'un pas déterminé jusqu'à la terrasse du café où les hommes du village se boursouflaient de narguilés et de conversations sans fin. Le silence que provoqua son entrée fut tel qu'on n'entendit que la brise traverser les feuilles et les papillons de nuit cogner sans relâche les parois des lampes. Il s'arrêta net et scruta un moment les visages empreints de compassion. Puis il reprit sa marche vers la table où il avait coutume de s'asseoir ; les voix l'accompagnaient.

— Nous sommes au courant, c'est abominable !

— Toutes nos condoléances !

Le Don hocha sobrement la tête en guise de reconnaissance et tira une chaise. Il aimantait les gens à son passage, et au final, une fois installé, il y avait foule en face de lui, suspendue à ses lèvres.

— Comment êtes-vous au courant ?

— Le petit Béchir.

21

— Le petit Béchir, d'accord. Louz, pourquoi tu traînes, un café turc, s'il te plaît.

Le serveur employa sa voix chantante :

— Avec une pointe de fleur d'oranger, tout de suite ! Mais tu ne racontes rien avant que je ne revienne.

L'assemblée retenait son souffle le temps qu'il posât la tasse fumante devant le Don.

— C'est arrivé quand ? lui demanda-t-on.

— Peu avant midi, dit le Don.

— Que s'est-il passé ?

— Je n'en ai pas la moindre idée. Ce qui est arrivé n'est pas le fait d'un homme de ce village ni d'une bête des environs, répondit-il, chassant ainsi les inquiétudes et clôturant le sujet.

Les paysans émirent un soupir. Certains évoquaient la fin du monde tandis que d'autres invoquaient la miséricorde de Dieu, puis, petit à petit, chacun regagna sa place et la scopa reprit au rythme du narguilé et des palabres interminables. Telles étaient les soirées à Nawa.

2.

Cette nuit-là, le Don ne ferma pas l'œil. Avant de s'installer sous le porche de sa maison, qui lui offrait une vue imprenable sur toute la colline, il était passé par ses ruches, soulevant leurs toits un par un et, à la faveur d'un petit croissant de lune, observant dans leur sommeil ses nombreuses occupantes. Il visita en dernier la ruche dévastée et, alors qu'il se dirigeait vers elle, son cœur s'enfonçait dans sa poitrine. Ce matin même, au pied de cette caisse en bois, gisaient les corps de trente mille de ses abeilles. Déchiquetées pour la majorité d'entre elles. Trente mille abeilles. Ouvrières. Butineuses. Gardiennes. Le cœur de la ruche n'avait pas été épargné. Ce mal n'avait pas de limite et il s'était faufilé jusqu'aux quartiers sacrés. Les cellules étaient profanées, les opercules déchirés et les larves arrachées à la chaleur de leurs cocons... Le miel ? Plus une goutte, disparu, comme bu à la paille ! Et au beau milieu du saccage, la reine... Mortellement blessée, les pattes adressant au ciel comme une dernière prière. Une colonie complète anéantie et pillée en l'espace de deux heures. Un massacre.

Il s'enveloppa dans une couverture, se cala sur sa chaise longue. On était fin mars et même si le printemps était entré à Nawa de plain-pied, il faisait toujours un peu froid le soir. Le temps n'était pas encore aux cigales et, hormis les chants des chacals dorés qui s'élevaient au loin, rien ne venait perturber le silence. Il contempla les lumières du crépuscule. La nuit fondait sur l'horizon qui se perdait dans le ciel et pour peu qu'on levât les yeux, on voyait les cimes des pins tutoyer les étoiles. Les ruches se devinaient dans la pénombre, quiètes comme des citadelles éteintes, et leur condition placide du moment contrastait avec leur état enfiévré du jour. Les colonies foisonnaient d'abeilles qui se languissaient du soleil. *L'aube viendra*, réfléchit le Don, *mais que viendra avec l'aube ? L'ode à la vie en sera-t-elle l'unique chant ou aura-t-elle, comme hier, un tintement funèbre ?* Quel mal étrange avait foudroyé la ruche, coupant en deux milliers de ses filles ?

Ses filles. C'est ainsi qu'il appelait ses abeilles. Tout Nawa le savait et connaissait l'amour qu'il leur vouait. À l'heure des récoltes, les villageois pouvaient mesurer cette passion et s'en délecter, après avoir pointé chez le Don au chant du coq pour chercher leurs pots de miel. L'environnement était idéal et un tel nectar était la juste récompense de cette harmonie entre l'homme et la nature. Dans leur terre, les paysans ne répandaient que de la bouse de vache et sarclaient à la main les mauvaises herbes. Il n'y avait dans le village aucun druide et on ne savait diluer que du sucre dans le thé. Loin de l'agriculture massive, de ses champs uniformes et de ses pesticides mortels, les abeilles butinaient toutes sortes de pollen, s'aventurant même dans les bois au pied de la montagne. C'est cette nature épanouie que le cœur épris du Don mettait en pot. Et comment pouvait-il ne pas être épris de ses abeilles, elles qui lui avaient sauvé plusieurs fois la mise ? Il vivait avec elles une relation fusionnelle et ne portait quand il les visitait aucune protection. Elles ne le piquaient jamais quand elles se baladaient sur ses mains, se laissant même caresser leur abdomen strié de lignes d'or et de miel tout dodu : un corps aussi fin et doux qu'un pouce de bébé, des pattes délicates légèrement velues et des ailes qui scintillaient tels des diamants quand le soleil inondait la campagne de Nawa. Les observer se communiquer les meilleures adresses de fleurs et de bosquets était comme assister à un fascinant ballet. Elles voletaient, se frôlaient, frétillaient en une chorégraphie délicate. La danse de la vie, l'avait-il baptisée, parce que la vie avançait grâce à ces travailleuses et offrait aux hommes et aux bêtes des fruits, des noix et des légumes, et lui offrait par la même occasion un miel divin.

Ainsi, pour les Nawis, le jour où le Don réveillait ses filles de leur sommeil d'hiver était jour de fête. Les ruches s'activaient pour annoncer le printemps, les abeilles abondaient dans le paysage mais rares étaient ceux qui rouspétaient à leur vue. Les petites bêtes bénies volaient de fleur en fleur, butinaient les champs et la forêt dans un bal haut en couleur qui égayait les yeux et les âmes. Il était fréquent qu'un Nawi tombe nez à nez avec une butineuse qui, après avoir tortillé des pistils pêle-mêle, finissait bariolée de divers pollens : le jaune des abricots, le blanc des pommiers, le vert des cerisiers, et le beige rosé des romarins... Cela était pour lui un bon présage. Les enfants allaient même jusqu'à raconter que celui qui croisait une fille du Don portant plus de cinq couleurs verrait ses vœux exaucés. Quand la pollinisation battait son plein, on pouvait les rencontrer dans les endroits les plus insolites.

— J'ai eu une de tes filles dans ma théière aujourd'hui, disait Borni le maçon au Don l'autre soir au café pendant une partie de scopa. (Borni se lassait de ses chantiers assez tôt dans la matinée et passait le reste de la journée à l'ombre d'un olivier à préparer du thé rouge et à l'ingurgiter aussitôt, ce qui ne l'empêchait nullement de faire la sieste.) Elle a bu quelques gouttes et elle est repartie. C'est vrai qu'il est merveilleusement sucré, mon thé, se vantait-il, tout fier.

— Tu sais qui j'ai trouvé dans ma cuisine, en train de papoter sur le bord de ma bouteille de sirop d'amande ? disait Douja au Don qui était venu lui acheter des allumettes. (Elle était la seule épicière du village et dans son épicerie il n'y avait que ce qui était fondamental. C'était aussi une pipelette qui expirait en mots tout l'air qu'elle respirait, et elle respirait beaucoup.) Deux de tes filles ! Je ne sais pas ce qu'elles se disaient, mais j'aurais bien aimé discuter avec elles !

Si bien que, quand le drame survint, chacun s'en trouva affecté.

3.

L'attaque subie par le Don n'était pas l'unique bizarrerie de l'histoire récente de Nawa. En septembre dernier, une caravane électorale composée d'une dizaine de voitures arborant le drapeau du pays fit une entrée remarquée au village. Cette caravane n'était qu'une parmi de nombreuses autres parties sillonner l'arrière-pays, avec l'objectif d'inscrire les paysans sur les listes d'électeurs et de leur installer un bureau de vote. Le cortège débarqua aux alentours de midi et stationna sur la place principale dans un grand vacarme de grincements de moteurs, de coups de klaxons, de chants et de youyous. En sortirent des hommes et des femmes, jeunes pour la plupart, habités d'un enthousiasme manifeste. Les Nawis oublièrent la faim et se rassemblèrent spontanément sur la petite place devenue, au débotté, un lieu de fête. Les visiteurs se mélangèrent aux indigènes – Nawa était encore de ces endroits sur terre où on embrassait l'étranger et on prenait des nouvelles de sa famille. Après la joie des trouvailles, l'heure fut aux explications. En effet, ces hommes et femmes étaient venus leur expliquer que le monde n'était plus tout à fait le même et que les temps avaient changé. D'ailleurs, l'un d'eux tonna dans un mégaphone :

— Très chers concitoyens, les temps ont changé !

Les Nawis regardèrent autour d'eux mais ne constatèrent aucun changement. Alors ils demandèrent :

— Comment ça, les temps ont changé ?

— Désormais, vous pouvez choisir d'être gouvernés par untel ou par untel.

— Ici à Nawa ?

— Ici à Nawa, et même à l'échelle du pays !

Les villageois étaient tout chamboulés. Pour la plupart, ils n'avaient même pas choisi leur conjoint qu'il leur fallait aujourd'hui choisir par qui ils allaient être gouvernés. Il est vrai que trois mois auparavant, certains avaient entendu que quelque chose s'était passé là-haut, mais personne n'avait assez bien compris ce dont il s'agissait pour être en mesure de l'expliquer aux autres. Comme maints artefacts, la presse n'arrivait pas à Nawa, et quand bien même, la population était majoritairement illettrée. Seuls savaient lire quelques bambins qui parcouraient la steppe pendant des heures pour atteindre l'école. De télé, potentielle source d'information, il n'y en avait qu'une et c'était celle du café, mais Louz ne l'allumait qu'à la Coupe du monde du football, après avoir travaillé au corps des mois durant le vieux Jbara pour lui taxer les câbles et la batterie de son tracteur, seul engin à moteur de la contrée. Jamais Louz n'avait pris la peine de supplier le vieux Jbara pour passer le journal du soir, parce que depuis très très longtemps, le journal télévisé était un feuilleton à un seul épisode, dans lequel on voyait le Beau parader, et les journalistes essayer d'inventer une nouvelle façon de lui rendre grâce.

— Mais le Beau, il est parti parti ?

— Absolument. Il est parti et on ne le verra plus.

— Comme le Vieux avant lui ?

— Pas tout à fait, le Beau avait chassé le Vieux et avait pris sa place. Maintenant que le peuple a chassé le Beau, il faut que ce soit le peuple qui choisisse qui mettre à sa place.

— Et nous, on est le peuple ?

— Absolument. Sinon, que seriez-vous ?

Les Nawis étaient ravis d'apprendre qu'ils étaient le peuple, mais depuis quand ? Dans leur solitude, ils avaient fini par croire qu'ils n'étaient que des Nawis, et que leur sort n'intéressait personne, encore moins leur avis. Personne ne leur avait demandé quoi que ce soit auparavant, et personne en dehors d'eux n'était là à se geler pendant les hivers rudes quand on manquait de chauffage, de laine et de chaussures, quand le spectacle des mômes marchant pieds nus dans la neige crevait le cœur des adultes impuissants. Personne ne se rendait à Nawa. Personne, enfin presque.

Il est vrai que le jour où le Beau leur avait rendu visite était pour tous un jour mémorable, eux qui recevaient si peu. C'était lors de ses premières années de règne, juste après avoir destitué le Vieux. Le Beau arriva à Nawa comme une star de cinéma, en hélicoptère, paré de lunettes de soleil. Alors que l'engin invraisemblable atterrissait sous les yeux ébahis, les hélices provoquaient un tel vacarme que les moutons de Selim le berger se dispersèrent aux quatre coins de la vallée. L'air qu'elles remuaient faisait valser les abeilles dans les champs et envoyait à des kilomètres poules affolées et chapeaux de paille. Les villageois s'attroupèrent autour de l'hélicoptère et virent sauter de ses portières les cameramen pour immortaliser la scène. Une fois les caméras en marche, une délégation d'officiels en costumes noirs sortit de l'aigle de fer et entoura un Beau qui transpirait la classe en costume Boss gris, chaussures Hackett étincelantes et Carrera dernier cri faisant office d'yeux. À sa vue, les femmes poussaient spontanément des youyous comme aux soirs de mariage. Les jeunes scandaient son nom qu'on venait de leur souffler et les adultes les plus audacieux partirent à sa rencontre, le gratifiant de la légendaire étreinte nawie sous les flashs des photographes. Le Beau s'inquiétait de leur état démuni et son visage arborait une mine compatissante, même si ses yeux restaient parfaitement cachés derrière ses lunettes sombres.

— Combien de familles êtes-vous ?

— Une centaine.

— Ce village est bien le village de Nawa ?

— Oui, c'est bien le village de Nawa.

— Et pourquoi il s'appelle Nawa ?

— Ce village s'appelle Nawa depuis qu'il existe !

— Ah oui ?

— Depuis la toute première racine qui a poussé, ce village s'appelle Nawa.

Le Beau avait souri légèrement puis sa mine reprit de son sérieux et de sa compassion.

— Parlez-moi un peu de Nawa.

— Voilà Nawa, sous vos yeux, grâce à Dieu.

— Vous vivez comment, vous avez l'eau courante ? L'électricité ?

— Non, nous n'avons rien de tout cela. Pas d'eau courante, pas d'électricité. Rien de tout cela. Grâce à Dieu.

— Et pour l'eau, vous faites comment ?

— Il y a une source dans la montagne, à côté, d'où on puise l'eau.

Le Beau regarda la montagne au loin et dit :

— Vous y allez comment ?

— Sans vouloir vous offenser, à dos d'âne ou de mule.

— La ville la plus proche, elle est où ?

— La ville la plus proche, réfléchit-on. La ville la plus proche, elle n'existe pas.

— Walou, souffla un membre de la délégation à l'oreille du Beau qui reprit :

— Walou n'est-elle pas proche ? C'est à quelle distance ?

— Elle est à environ une vingtaine de kilomètres.

— Une vingtaine de kilomètres. Et il y a une route ?

— Oui, il y a une route, répondirent les paysans.

Le Beau regarda à droite et à gauche et ne vit que les cases de fortune, mais pas de route. La seule route qui reliait Nawa à la ville voisine était celle tracée par le bétail.

— Et elle est comment, cette route, moyenne... ?

— Oui, moyenne, les têtes se balançaient.

— Ou impraticable ? enchaîna le Beau.

— Impraticable ! C'est cela ! Impraticable ! Surtout quand il pleut.

— Et cette année il a plu ? La récolte est bonne ?

— La récolte est bonne, grâce à Dieu, répétèrent-ils en chœur.

— Et il y a une infirmerie ?

— Non, il n'y a pas d'infirmerie.

— Et quand quelqu'un tombe malade, vous faites comment ?

— Quand c'est grave, on l'emmène à Walou.

— Et il y a une école ?

— Ici ? Non, il n'y a pas d'école.

— Et les enfants, ils font quoi ?

— Y en a qui travaillent avec nous, et y en a qui vont à l'école à Walou.

— D'accord.

Le Beau arborait une mine grave que les journalistes ne manquèrent pas de constater et de restituer dans leurs panégyriques.

— Mais tant que vous êtes là et que vous venez nous voir, tout ira bien, il n'y aura rien de grave. Grâce à Dieu, dirent les paysans.

Le Beau semblait touché en plein cœur. Il repartit en faisant plein de promesses et Nawa fut à la une du « 20 heures ». Le lendemain même, par décret présidentiel, se créa un fonds de solidarité alimenté à la source par un impôt obligatoire. Le peuple donnait pour les Nawis et leurs semblables, oubliés de la terre, mais il ne réussit à sauver de la misère que le Beau et sa belle-famille. Pendant presque trente ans, on ne parla plus d'eux, on ne vint plus leur rendre visite. Le dos des ânes pour la quête de l'eau, les lampes à pétrole en guise de lumière et le pèlerinage jusqu'à Walou pour les écoliers et les mourants.

Mais le Beau n'était plus là. Le peuple l'a chassé, et le peuple doit voter, leur expliqua-t-on. Ils étaient le peuple, des sans-droits avec des devoirs. Un village toujours sans eau ni électricité, avec un beau bureau de vote préfabriqué planté en plein milieu de sa place.

La caravane partit aussi soudainement qu'elle était apparue, laissant derrière elle de la poussière et du papier, des kilos de tracts présentant la soixantaine de partis politiques convoitant les sièges confortables qui avaient vu le jour en quatre mois. Et rien qui ne se mangeât. Rien qui ne se portât.

4.

C'était le dernier tour. Toumi regarda les cartes éparpillées sur la table et se remémora les tours précédents. Le front ridé et les yeux plissés par la concentration, il agitait les lèvres en silence à mesure qu'il comptait dans sa tête, puis il s'écria :

— Enfoiré, tu as le Sept Vivace !

Le Sept Vivace, l'autre appellation du sept de carreau, est la carte la plus prisée à la scopa version nord-africaine. À lui tout seul, il vaut un point, et peut permettre d'en marquer jusqu'à deux supplémentaires si on l'associe à d'autres cartes. Autant dire que pour un Nawi, le Sept Vivace était ce que le ciel avait de mieux à offrir.

Douda sourit. Toumi avait raison. La carte magique était bel et bien dans sa main.

— Eh oui, je suis un enfoiré qui a le Sept Vivace, et toi, tu es un enfoiré qui n'a rien.

Mais il ne suffisait pas de l'avoir, encore fallait-il en faire bon usage. Douda regarda la pioche et comme aucune combinaison n'était favorable, il joua une autre carte.

— Arrête de te réjouir pour rien, le prévint Toumi. Tu vas finir par le céder, à ta place je le jouerais tout de suite, ça fait moins mal que lorsqu'il s'envole au dernier tour.

— Ben viens prendre ma place alors, dit Douda.

Toumi ne le lâcha pas :

— Je ne veux pas prendre ta place, je t'explique juste, insista-t-il. Tu ne peux plus faire de combinaisons, il ne reste que le six de trèfle, et il n'y a plus d'as. Il n'y a plus de deux non plus, ils sont tous sortis, alors le cinq de la pioche ne te sert à rien.

Douda protesta en jetant son jeu sur la table :

— Mais arrête de compter les cartes ! Arrête de compter les cartes et laisse le tour se dérouler jusqu'à la fin. Laisse-moi palpiter, merde !

Toumi avait bien l'intention d'achever Douda en le traitant de mauvais joueur quand il réalisa d'un coup que gâcher le plaisir de son ami à la scopa suscitait le sien et que de plaisirs dans la vie, ils n'avaient que ceux-là. Quelle misère ! constata-t-il. Un nu qui dépouille un mort, diraient les aïeux. Il baissa la tête mais la vue de ses orteils cornés qui jaillissaient de ses vieilles chaussures la lui redressa aussitôt, et il fut à nouveau confronté à la dégaine de son ami d'enfance. Les cheveux poussiéreux, le visage miteux et toujours les mêmes vêtements, décousus par endroits et troués à d'autres... Il avait l'allure d'un survivant à un désastre. Et même s'il s'était rarement vu dans une glace, car à Nawa il n'y avait pas de place pour la coquetterie, Toumi savait que Douda lui envoyait en pleine face le spectacle de sa propre désolation. Il détourna le regard mais il tomba sur les cases et la steppe aride qui s'étendait de part et d'autre.

Qu'est-ce qui pouvait donner le sourire dans ce trou paumé ?

Il soupira :

— Au final, on dirait que nous sommes deux enfoirés qui n'ont rien.

Douda soupira à son tour :

— Tu l'as dit, Toumi, tu l'as dit. Deux enfoirés qui n'ont rien, qui ne servent à rien.

— Viens, on va marcher.

Le souvenir des jeunes caravaniers de la veille, bien habillés, conduisant des voitures, sachant lire, parlant d'avenir, leur rappelait leur condition minable.

Ils quittèrent le café et leurs pieds les menèrent spontanément jusqu'au bureau de vote. Droit, vide, et clos. Un module préfabriqué que les caravaniers avaient érigé en deux heures à peine, et qui était de loin plus solide que n'importe quelle autre construction au village. Il avait même une porte et des fenêtres.

Les deux hommes s'arrêtèrent devant.

Toumi cogna la façade puis regarda à travers les fenêtres :

— C'est plus habitable qu'une case.

Douda avait toujours l'air contrarié et le module ne semblait pas arranger son humeur. Toumi continua à tourner autour.

— Ils auraient pu monter plus de machins comme ça. On aurait pu les habiter.

— Et pourquoi ils auraient fait ça, dis-moi ? Pour tes beaux yeux, sans doute ?

— Non, c'est juste que ça avait l'air facile.

Douda se tut. Toumi ramassa des tracts parmi le tas posé devant la porte. Ni lui ni son ami ne savaient lire.

— Ils ont dit que la vie sera plus facile si on choisit les bonnes personnes.

— Et comment tu sais qui sont les bonnes personnes ?

Toumi observa les tracts dans ses mains. Il y avait des têtes, des symboles et des écritures. C'étaient là des cartes qu'il ne savait décrypter.

LA DISCORDE

5.

Le mois d'octobre, à la fin duquel se tiendraient les premières élections nationales véritablement démocratiques, ne se contenta pas de faire fleurir le romarin dont raffolent les butineuses. Il cachait dans les plis de son manteau d'automne de drôles d'oiseaux qui constituaient une caravane d'un nouveau genre.

Contrairement à la précédente, majoritairement composée de jeunes hommes et femmes qui arboraient le drapeau du pays, celle-ci ne comptait que des hommes barbus qui arboraient un drapeau noir floqué d'un pigeon blanc. Les allures comme les discours détonnaient aussi. Les caravaniers précédents parlaient le dialecte standard – langage imparfait stigmatisé par l'histoire – et portaient les vêtements qu'on connaissait aux gens de la ville, cependant que les nouveaux caravaniers étaient affublés de tuniques, comme les Bédouins de l'Arabie moyenâgeuse, même s'il convient de dire que très peu de choses ont évolué en Arabie depuis le Moyen Âge. Les références à ce temps révolu ne s'arrêtaient pas aux barbes et aux habits : ces ornements étaient sublimés par un langage d'époque, foisonnant de mots sacrés, miroir d'une rhétorique rigoriste que les Nawis ne tarderaient pas à découvrir.

Et ce n'étaient pas les seules différences. Alors que les enceintes du premier convoi émettaient des chants patriotiques réchauffés auxquels on avait du mal à croire et que les coffres de ses voitures étaient chargés de tracts qui promettaient monts et merveilles, les haut-parleurs du second envoyaient des décibels de chants religieux à la gloire de Dieu et du Prophète l'Ultime du Nom, et les coffres de ses pick-up étaient blindés de caisses de nourriture, de couvertures et de vêtements.

Ils stationnèrent à hauteur du bureau de vote et se mirent à décharger les biens, pendant que d'autres mugissaient dans des mégaphones de quoi rappeler à la contrée à quel point Dieu était grand, dispersant les moutons de Selim le berger aux quatre coins de la vallée, et rassemblant un autre troupeau fait de Nawis.

— Dieu est grand ! Dieu est grand !

Les Nawis répétèrent, car comment pouvait-il en être autrement :

— Dieu est grand ! Dieu est grand !

— Approchez mes sœurs, approchez mes frères ! Servez-vous ! Ceci est pour vous.

— Ceci est pour nous ?

— Oui ! Servez-vous.

Couvertures, chaussures, sacs de vêtements, sacs de riz, cartons de conserves, cartons de savons, cageots de viandes, cageots de légumes, paquets de gâteaux... Jamais de leur vie les Nawis n'avaient fait l'objet d'une telle sollicitude ; c'était pour eux comme si le Paradis leur ouvrait un instant ses portes. La ruée dura à peine une demi-heure et du stock il ne resta plus rien. À la fin, en moyenne, un Nawi avait accompli trois allers-retours entre le lieu de distribution et son taudis, et avait récupéré une vingtaine de kilos de denrées de toutes sortes.

Quand les villageois retournèrent sur la place pour remercier leurs velus bienfaiteurs, ces derniers se défendirent d'une quelconque charité :

— Mes frères, nous sommes des serviteurs de Dieu, nous ne faisons que notre devoir. Il est de notre devoir de vous venir en aide.

Les Nawis étaient confondus. Il est vrai que le pays dans son ensemble se déclarait terre de croyants, certains allant même jusqu'à dire que c'était une terre de saints, mais personne avant ceux-là n'en avait fait une raison pour sauver son prochain.

Le plus barbu de l'assemblée, qui semblait en être le leader, alla plus loin dans le discours. C'était un homme au poil et au ventre imposants. De plus, la tache verte au-dessus de ses yeux laissait deviner le nombre d'heures incalculables passées à prier, front contre terre. Son regard louche, à cause d'un œil figé qui fixait l'horizon, le parait d'un air mystique, et sa voix chantante était timbrée d'émotions, de la plus aiguë à la plus grave. Après avoir moult et moult fois glorifié le Tout-Puissant et couvert de louanges Son prophète l'Ultime du Nom, il dit :

— Mes frères, mes sœurs, c'est moi qui vous remercie du fond du cœur. Grâce à vous, aujourd'hui, ma journée est belle et au Paradis j'ai gagné une parcelle. Que peut-il arriver de mieux à un homme que de préparer sa demeure éternelle en suivant dans sa vie profane le chemin de l'Éternel ? C'est la raison de ma présence parmi vous, de cette main tendue. Dieu est mon choix, Sa parole ma loi. Alors, quand viendra l'heure, faites comme moi, choisissez Dieu ! Quand viendra l'heure du vote, votez pour le Parti de Dieu !

Puis le ton de sa voix se fit plus pédagogue et un poil autoritaire tandis qu'il déployait sous leurs yeux un bulletin de vote aux multiples cases face à de multiples emblèmes :

— Une fois dans l'isoloir, vous cochez ici, cochez le pigeon ! expliqua-t-il.

Le pigeon était l'emblème du Parti de Dieu.

La semaine qui séparait cette visite des élections fut douce au village. La nuit, les Nawis dormirent le ventre plein, sous des couvertures chaudes, et au réveil, ils revêtirent des tuniques neuves. Le jour dit, tous ceux qui étaient en âge de voter se pointèrent à la première heure et cochèrent le pigeon. Tous les Nawis – enfin tous à une exception près.

6.

Si le Don avait raté la mémorable scène citoyenne, c'était qu'il était loin des hommes, explorant, dans les cimes des pins et les cavités de la montagne, le domaine des abeilles qualifiées de sauvages et que lui appelait libres.

Ces endroits secrets recelaient de précieux essaims. Il les cueillait pour élever de nouvelles reines qu'il introduisait dans ses colonies. Les reines sauvages sont plus résistantes et plus vives que leurs cousines domestiquées, et les générations qu'elles engendrent renforcent les ruches face aux fléaux et aux maladies.

À plusieurs reprises, il avait employé ce procédé pour lutter contre les parasites et surtout contre le *varroa destructor*. Une lutte acharnée qui perdurait depuis des décennies.

Redoutable sangsue de l'abeille, cet acarien venu d'ailleurs, à l'allure de crabe et de la taille d'une tête d'épingle, avait envahi les ruches à la fin de l'ère du Vieux. Comme tant d'autres fléaux, prospérant de pair avec les lucratifs commerces, le *varroa* profita du commerce des abeilles, devenues une vulgaire marchandise, pour traverser les frontières en toute légalité. La sangsue passa la douane greffée sur le dos des abeilles européennes domestiquées, les *apis mellifera*[1], qui furent importées au pays en masse car elles

---

1. Les abeilles européennes.

étaient plus dociles et meilleures productrices que les *intermissas*[1], ses acariâtres camarades locales, pour qui ce parasite était inédit.

Dans le paysage fleuri, les acariens fraîchement introduits se faisaient trimballer et sautaient d'une butineuse à une autre sans grande difficulté, contaminant les *intermissas*, et il ne fallut pas plus de deux décennies pour que le *varroa* frappât la totalité des ruches du pays. Comme dans toute malédiction, ses victimes étaient aussi le véhicule de sa conquête et de son essor.

Alors qu'il débarqua sous l'ère du Vieux, le *varroa* prospéra sous l'ère du Beau, comme bon nombre de ses proches. Il n'y avait pas une travailleuse dans un champ sans ce parasite sur le dos, crochets plantés dans sa chair. Non seulement il la vampirisait, mais il l'infectait de maladies contagieuses et mortelles, qui finissaient par détruire toute la ruche.

Dans la lutte des apiculteurs contre le *varroa*, beaucoup se convertirent aux pesticides pour sauver leurs colonies, y maintenant la vie grâce à la juste dose de poison. Sauf qu'au poison, il n'y a pas de juste dose.

Les ruches du Don, qui avaient aussi connu l'infection, s'étaient maintenues d'elles-mêmes. Renforcées par l'apport des reines sauvages, elles ne succombèrent pas. Ses abeilles savaient se défendre contre le *varroa* à tous les stades de

---

1. Les abeilles nord-africaines.

leur évolution et pour ce faire, elles se montraient farouches. Elles avaient hérité du flair qui se perdait par la domestication servile et dépistaient l'odeur des nymphes parasitées. Aussitôt, elles se mettaient à l'œuvre en les écharpant et en expulsant les alvéoles contaminées. Et quand elles détectaient un ennemi sur le dos d'une adulte, elles s'employaient immédiatement à l'en débarrasser. Unissant leurs forces, elles l'arrachaient comme on arracherait un pou sur une tête, avant de l'évacuer illico presto !

Mais si le Don était parti ce fameux matin prospecter dans les cimes des arbres et dans les cavités des montagnes, ce n'était pas pour revigorer ses ruches contre des parasites. Les signes de faiblesse que montraient ses abeilles étaient totalement endogènes. Depuis quelque temps, quand le soleil était au zénith et sa lumière à son comble, ses filles étaient en perdition. Désorientées, elles hésitaient sur la planche d'envol, exécutaient des danses inhabituelles, et il arrivait fréquemment à certaines de rentrer dans une autre ruche que la leur. Dès que le soleil déclinait, que la lumière baissait en intensité et que la nature retrouvait de l'ombre, la normalité regagnait le cheptel.

C'était la première fois de sa vie d'apiculteur qu'il était confronté à un tel phénomène.

Cherchant la réponse dans la nature, il constata lors de ses balades que les abeilles sauvages ne craignaient pas le franc soleil. Au contraire, c'était à midi que leurs danses étaient les plus belles et les plus parfaites.

L'ombre de leurs citadelles avait-elle affecté la vision de ses filles, devenues à la longue photosensibles ? Voilà la seule explication qu'il réussit à trouver. Avec l'apport de reines sauvages dans ses couvains, ses abeilles regagneraient leur pleine capacité à se situer dans l'espace et dans le temps.

Dans sa quête de reines sauvages, et même pour aller chercher l'eau à la source, Staka était pour le Don un compagnon de choix. C'était un âne gris que le Don s'était offert, il y avait de cela plusieurs hivers, au marché du bétail de Walou. Il l'avait interpellé parmi les autres de son espèce car ses yeux recelaient une douceur absente du regard de beaucoup d'hommes, à commencer par celui qui le vendait. Il ne rechignait jamais à la tâche mais il allait à son rythme et cela tombait bien, le Don n'était jamais pressé. Et quand, après une dure journée de service, il posait pour le récompenser un morceau de sucre dans la paume de sa main, Staka l'aspirait instantanément. Ses naseaux frétillaient et ses lèvres épaisses s'agitaient comme s'il riait.

Dans la quiétude de l'aube naissante, le Don étira ses membres gourds et respira profondément. La rosée coulait le long des feuilles et au loin, la montagne commençait à prendre des couleurs feutrées tandis que ses reliefs émergeaient progressivement du noir. C'est là que se retrouvaient les plus belles butineuses de la région. Celles qui ne se détournaient pas de la lumière et sur lesquelles le *varroa* n'avait aucune emprise.

Il lui fallait une demi-journée pour l'atteindre et s'il dénichait rapidement un essaim de taille, il pourrait rentrer avant la tombée de la nuit.

Il remplit sa gourde d'eau, enveloppa dans un tissu du pain et des olives, fixa la charrette au dos de Staka, serra les ceintures autour de ses flancs et la chargea d'une double échelle, de sa boîte à outils et d'une ruche vide. Ils prirent la route de l'ouest, où culminait le massif dominant.

Au bout d'une heure, alors que se profilait la fin de la steppe, il entendit un bruit de pneus et de moteurs remonter la piste. *Ce n'est pas l'heure de la ronde*, releva-t-il à raison. D'habitude, les gardes rôdaient à la tombée du soir : c'était ce moment-là que, fin prêts, de part et d'autre de la frontière, loups et vampires attendaient pour bondir de l'obscurité. Le Don ignorait que désormais, ils patrouillaient aussi le matin car depuis peu, les loups circulaient en plein jour et les vampires toléraient le soleil et la lumière.

Le bruit se rapprocha et trois jeeps de gardes frontaliers arrivèrent à sa hauteur. Le convoi réduisit sa voilure. La première jeep du peloton cala sa vitesse sur celle de son âne. Par la vitre ouverte, un garde l'interpella :

— Salam Haj !

Le Don souleva son chapeau de paille et le scruta du coin de l'œil. Dans la voiture, il distingua quatre mômes vêtus de treillis militaires. Il eut un mauvais pressentiment. Ces uniformes qu'on leur avait confectionnés lui évoquaient la guerre, la mort et le sang. Il répondit :

— Tu m'appelles Haj alors que je n'ai jamais vu la Kâaba ?

Le jeune soldat fut surpris. D'ordinaire, les vieux se flattaient de cette distinction, revendiquée si le pèlerinage était accompli ou considérée comme un bon présage s'il ne l'était pas. Il répondit, embarrassé :

— Un jour, inchallah !

Le Don rabaissa son chapeau et dit sur un ton qui clôturait les débats :

— Quand les poules auront des dents.

La surprise du soldat sembla décuplée. Il regarda ses camarades comme pour les prendre à témoin et tous éclatèrent de rire.

— Tu as entendu ça ? Quand les poules auront des dents ! C'est ce qu'il vient de dire !

Puis il se retourna vers le Don et lui lança :

— Bonne journée tout de même !

Il les salua de la main. Le convoi reprit de la vitesse et le doubla. Derrière eux, ils laissèrent les échos de leurs voix :

— Quel vieux fou !

Staka hennit et le Don le rassura :
— Ne t'énerve pas, Staka, c'est peut-être vrai !

Ils abordaient les premiers reliefs. Le maquis abondait. Il était pour l'intrus un véritable piège de lianes et d'épines, mais Staka et le Don en connaissaient le moindre recoin. Le romarin fleuri tapissait le sol et toute la montagne exhalait dans l'air son parfum vivifiant. Au chant des oiseaux se mêlaient craquements d'arbres et chorale d'insectes, où ses filles jouaient pleinement leurs notes. Dans leur quête sacrée, elles étaient capables de partir loin et il arrivait souvent au Don de les croiser à deux heures de marche.

Staka tirait, faisant gondoler sur sa charrette un Don plus épanoui qu'un maharajah sur son éléphant. Bien que les saisons sèches se fussent succédé, le maquis n'en avait pas perdu sa robe pour autant, et sa végétation peu gourmande offrait un paysage somptueux de verdure peint aux couleurs de l'automne.

L'expédition avança sur un parterre de trèfles, dans l'ombre des chênes et des pins.

Le Don ne voyait plus ses filles. Ils étaient désormais hors de leur rayon de butinage. Ils entraient dans le domaine de leurs consœurs sauvages.

— Si on ne les trouve pas dans un tronc d'arbre, il faudra aller les chercher dans les grottes !

Staka hocha la tête comme pour signifier qu'il savait à quoi s'attendre. L'homme et sa bête n'étaient plus dans la force de l'âge et récolter un essaim entre les roches n'était pas une affaire sans risque.

La matinée s'écoula ainsi, paisible randonnée, les sens alertes, entre scrutation experte et contemplation émerveillée.

Après un déjeuner sommaire et un quart d'heure de sieste, le Don reprit sa quête.

— Vire à gauche, l'ami, dit-il. Allons vers les roches !

Sur le chemin, le Don se redressa et Staka s'arrêta net.

— Tu entends ça, Staka ? Tu entends ce bourdonnement ?

Staka pointa ses longues oreilles et remua ses lèvres épaisses. Le Don descendit de la charrette et progressa à pied, inspectant la flore alors que son serviteur le suivait.

— Un beau bourdonnement – il leva la tête et chercha des yeux –, voilà ce que j'entends ! Un beau bourdonnement !

À mesure qu'il avançait, son regard fusait dans plusieurs directions, poursuivant des grains d'or dans le ciel.

— Tu les vois, voler dans tous les sens ?

Staka acquiesça en claquant des oreilles.

— Mon vieux, on dirait qu'on a affaire à des abeilles qui cherchent à s'établir !

C'est ce qui arrive quand un royaume d'abeilles est surpeuplé. Une partie de ses habitants le quitte pour en fonder un nouveau. Le temps d'élire domicile, les abeilles essaiment temporairement dans les hautes branches et envoient des éclaireuses prospecter aux alentours. Quand l'une d'elle détecte l'endroit idéal, elle revient parmi les siennes pour exécuter sa danse vibratoire. Battant des ailes et tortillant du ventre, l'éclaireuse communique à l'ensemble de l'essaim l'endroit et ses caractéristiques. Les abeilles migrent alors dans un nuage jusqu'à leur nouveau logis. Généralement une cavité étroite ou l'intérieur inaccessible d'un tronc d'arbre.

Au pied d'un pin d'Alep, le Don se réjouit devant le spectacle :

— Vous voilà, mes chères !

Sur l'une des branches, les abeilles étaient agglutinées les unes sur les autres et frémissaient en chœur. Elles étaient bel et bien en transit, cherchant à s'établir, et l'essaim vibrant qu'elles formaient, nu et exposé, donnait l'impression d'un cœur qui battait dans le torse ouvert de la nature.

Sans se munir d'outils ni de combinaison, le Don tira l'échelle du chariot, la déploya et l'ajusta contre l'arbre. Cet essaim était une offrande de la nature. Pas besoin de frayer le bois ou d'écarter les roches. Il n'allait pas déloger ces abeilles mais plutôt leur offrir un lieu de vie. Du coup elles seraient moins agressives avec lui.

— Reste là, Staka.

Il monta, la ruche creuse suspendue au cou, comme on porterait un éventaire. Longtemps, il avait été capable d'accomplir seul le travail de trois hommes. Aujourd'hui, il continuait de s'en persuader et ne concédait rien au temps, même s'il se surprenait à prendre plus de précautions qu'autrefois.

— Ce qu'on perd en force, on le gagne en clairvoyance. Le tout est de ne pas arriver à l'âge de la sagesse alors qu'on n'a plus la force de rien faire.

À hauteur de l'essaim, il prit le temps de l'admirer.

— Bonjour mes belles ! Alors, vous cherchez une nouvelle maison ? Ça tombe bien, j'en ai une toute prête pour vous accueillir.

Il se mit de face, présentant la ruche par en-dessous, et donna un coup sec à la branche. L'essaim se décrocha et atterrit lourdement dans la ruche béante. L'amas se désintégra en petites abeilles qui se faufilèrent dans les cadrans. Progressivement elles investirent l'espace. Quelques minutes plus tard, elles s'étaient emparées de leurs nouveaux quartiers.

Pendant ce temps-là, le Don, perché sur son échelle, jouait aux équilibristes. Le poids de la ruche avait maintenant doublé, mais sa respiration profonde l'aida à se maintenir droit. Sous le regard attentif de Staka, il descendit les marches avec précaution. Arrivé au sol, il se délesta de sa charge et s'appliqua à s'étirer pour se désengourdir. Puis il s'installa sur l'herbe, but quelques gorgées d'eau et sortit du pain et des olives.

— On va leur laisser le temps de s'habituer à leur nouvelle maison. On rentrera quand elles se seront endormies.

Staka broutait et ne semblait pas avoir d'avis contraire.

Sur le chemin du retour, léger et heureux comme un moineau, le Don murmurait sa gratitude au ciel étoilé.

7.

Tout l'art de l'élevage des reines consiste à faire croire aux ouvrières que leur souveraine a disparu. Ces dernières, affolées de ne plus sentir sa présence dans la ruche, en élèvent des nouvelles dans la hâte. Ainsi, elles nourrissent une dizaine de larves à la gelée royale, le miel du miel, une substance rare qu'elles ne synthétisent qu'à cette grande occasion. Et si une abeille fabrique tout au long de sa vie une cuillerée de miel, elle ne produit qu'une gouttelette de gelée royale quand cela s'impose.

N'importe quelle larve nourrie à la gelée royale devient reine. Et quand plusieurs prétendantes sortent de leurs opercules, elles se disputent la suprématie de la colonie jusqu'à ce qu'il n'en reste qu'une. Aussitôt couronnée, celle-ci parcourt les cadres, se frayant un chemin parmi ses sujets, libérant des senteurs qui les apaisent et parfont leur harmonie. Plus tard, elle déploiera ses ailes pour son vol nuptial. Elle sera poursuivie par un nuage de faux bourdons[1] qui voudront la féconder. Les vainqueurs de cette compétition sont rares et payent de leur vie leur gloire[2]. La reine, de retour à la colonie, pondra jusqu'à deux mille œufs par jour, assurant ainsi sa pérennité.

Devant la ruche d'abeilles sauvages qu'il avait récupérée deux semaines plus tôt, le Don commença son art.

Il chargea son enfumoir de feuilles humides et y déposa une braise. Il fixa le bec puis actionna plusieurs fois le soufflet. Jet après jet, la fumée sortait dense, froide et sans odeur.

Pour s'annoncer, le Don toqua légèrement contre la paroi de la ruche. Les gardiennes volèrent à sa rencontre.

— Bonjour mes belles, excusez cette intrusion !

Elles voltigeaient tout autour de lui, consentantes.

— Alors, votre nouvelle maison vous plaît ? demanda-t-il en soulevant le toit. Impeccable ! Vous m'avez l'air d'être très bien installées !

Pour limiter leurs vols, il répandit la fumée du soufflet au-dessus des cadrans. Les travailleuses restèrent clouées sur place, croyant à un incendie. Les plus curieuses d'entre elles reculèrent d'un cran.

---

1. Mâles de l'abeille.
2. Le faux bourdon perd son dard à la fécondation, ce qui entraîne sa mort.

— Je suis désolé, mes belles. Personnellement, si j'étais une petite abeille, j'apprécierais moyennement qu'un homme vienne m'enfumer. Mais croyez-moi, c'est pour la bonne cause, et au fond de moi, je me sens plus abeille qu'homme !

Il retira un par un les cadrans du couvain et inspecta le petit monde grouillant sous ses yeux, si dense qu'il était difficile de distinguer l'individu de la masse. Les abeilles circulaient tous azimuts, animées d'une énergie débordante. Pas de temps pour les fausses politesses ou les embrouilles mesquines, chacune savait que sa congénère œuvrait pour le bien de toutes, et aucune ne se vexait si elle était bousculée. Même pas la reine. Elles ne formaient qu'un seul corps.

— Te voilà, Majesté !

Il avait l'œil et l'avait identifiée sans peine. Plus grande de taille, l'abdomen entièrement doré, la reine répandait son aura providentielle alors qu'elle se faufilait parmi les siennes. Le Don l'attrapa délicatement entre ses doigts.

— Bonjour, ma reine !

Il la regarda avec admiration. Au soleil, elle brillait comme un joyau. Ses fines pattes grelottaient et son dard était de sortie, signe ultime de protestation.

— Je sais, la consola-t-il, je t'enlève à ta ruche, mais il y en a une autre qui t'attend avec impatience, et qui a hâte que tu l'aides à recouvrer la clairvoyance.

Il l'enferma dans un bocal et replaça le cadran et le toit. Les abeilles commencèrent à sentir sa cruelle absence et leur bourdonnement s'intensifia.

— Oui, mes petites orphelines ! compatit le Don. Pas d'inquiétude, vous surmonterez l'épreuve, car vous élèverez de nouvelles souveraines !

Puis il prit la direction de ses anciennes ruches, et devant la colonie qui présentait le plus de faiblesse face au plein soleil, il poursuivit ses gestes d'alchimiste.

De la même façon, il chercha la reine de la colonie et la destitua en l'isolant dans un second bocal. Alors que la ruche bourdonnait son mécontentement, il récupéra la reine des abeilles sauvages et l'intronisa. Après des premiers pas hésitants, où elle fut entourée et bousculée par une foule curieuse et remontée, la nouvelle reine réussit à s'imposer grâce à sa danse et à son odeur. Elle fit l'unanimité auprès de ses nouveaux sujets et le bourdonnement de contestation se transforma en ronronnement. L'harmonie regagna la citadelle, les butineuses reprirent le chemin de l'envol. Bientôt la reine pondrait des œufs dans ce couvain, lui insufflant un regain de mémoire et faisant ressurgir dans leurs gènes un patrimoine enfoui que la vie domestique dans l'ombre des cités avait fini par occulter.

Ce patrimoine serait réintroduit dans l'ensemble des colonies du Don. En effet, durant deux semaines, les petites orphelines se consacreraient à transformer une dizaine de larves en

nymphes royales. Tout le long, l'apiculteur super-
viserait leur développement dans les cellules.
À l'éclosion, il n'en laisserait qu'une en règne et
récupérerait toutes les autres séparément avant
qu'elles ne s'écharpent par instinct. Une à une, il
les introniserait dans les différents couvains de
son rucher aux dépens des vieilles souveraines.
De son art et de son savoir naîtraient des générations capables d'affronter la vérité du midi.

8.

Au bout d'une semaine de travail, le Don se
trouva à cours d'allumettes. Il détacha Staka et
prit la direction de Nawa. Les allumettes étaient
une des rares fournitures qui abondaient dans
le petit commerce de Douja.

Le village était situé au pied de la colline, et
pour y parvenir, il ne lui fallait qu'une demi-
heure à peine. Un aller-retour rapide, pensa-t-il
en serrant son barnous, même s'il savait que
Douja était une sacrée pipelette et qu'il lui faudrait ruser pour échapper à ses conversations
interminables. Il était loin d'imaginer qu'il allait
l'inciter à parler, lui prêtant en échange une
oreille attentive.

À l'entrée du village, il attacha son âne et mar-
cha jusqu'à l'épicerie. À la vue des Nawis, il se
frotta les yeux, incrédule.

Mais où suis-je au juste ? se demanda-t-il.

Les femmes étaient de noir nippées de la tête aux pieds, et les hommes, qui avaient lâché leur barbe, étaient flanqués de longues tuniques et de coiffes serrées. Tous le saluaient en récitant moult et moult prières sur des prophètes qu'il connaissait et d'autres qu'il ne connaissait pas. Plus rien ne lui était familier. L'inquiétude grandit en lui en un éclair...

Il courut se réfugier dans l'épicerie.

Mais ce n'était pas l'apparence de l'épicière qui allait le rassurer.

La bonne femme avait troqué son légendaire foulard rouge aux motifs berbères pour un voile noir satiné qui lui donnait des allures de veuve.

— Quel plaisir de te voir ! Où étais-tu terré ? On ne t'a pas vu depuis des semaines !

— C'est toi, Douja ? articula-t-il avec scepticisme.

— Qui veux-tu que ce soit ! Tu ne me reconnais plus ? s'indigna-t-elle.

— Bien sûr que si. File-moi une cartouche d'allumettes.

Douja monta sur son escabeau en râlant :

— Bien sûr que si ! Tu parles, bien sûr que non ! Tu devrais descendre davantage ! Tu vas finir par ne plus reconnaître personne ! Si on était des abeilles, tu viendrais plus souvent nous voir !

— Tu as deux fois raison. Vous n'êtes pas des abeilles, et je vais finir par ne plus reconnaître personne ! Mais enfin, d'où vient cette… ? Et il pointa du doigt les composantes de sa tenue.

— Quoi ? Ces nouveaux habits ? Mais oui, c'est vrai ! Tu as raté la grande distribution !

— La grande distribution ?

Douja n'en demandait pas tant et se lança avec plaisir dans une restitution digne d'un grand reporter. Elle n'omit aucun détail, faisant avancer son récit tantôt à coup de « tu sais ? », tantôt à coup de « si tu savais ! » Elle lui raconta l'arrivée des premiers caravaniers qui leur avaient rapporté la chute du Beau avant d'établir un bureau de vote préfabriqué et de distribuer des tracts à remplir des bennes. Puis elle lui relata la visite des barbus bienfaiteurs qui parlaient de Dieu dans une langue châtiée tout en remplissant leurs cases de nourriture, de vêtements et de couvertures.

— Au nom de Dieu, ils ont distribué des biens ? demanda-t-il, perplexe.

— Et au nom de Dieu, on a tout récupéré ! répondit-elle en embrassant les deux faces de sa main.

L'affaire lui semblait louche.

— Sans rien exiger en retour ? questionna le Don.

Douja réfléchit un peu.

— Si ! dit-elle en tirant un papier plié qu'elle déploya sur le comptoir.

C'était un bulletin d'élection pré-rempli.

— Le jour du vote, reprit-elle, le saint homme a dit qu'il fallait cocher ici. Cocher le pigeon !

Le Don se pencha sur le papier et en guise du pigeon d'encre noirci il vit un corbeau de mauvais augure.

— Ah oui ! Le saint homme a dit juste là ? répéta-t-il en regardant de près, puis il se redressa : Et c'est pour quand, ces élections ?

— Dans quelques jours ! On y va tous ! Tu viendras ?

— Je suis un homme sans dette, répondit-il en payant la cartouche. Je te laisse, j'ai à faire.

— Partons vite, dit-il en détachant Staka de son arbre.

L'âne sentit la détresse de son maître et déguerpit aussitôt.

Que venaient faire ici ces barbes et ces tuniques, ce vocable inouï et ces nouvelles attitudes ? Il avait jadis vécu dans un tel univers, il en était revenu changé à jamais.

9.

Douda, à dos de mulet, s'arrêta à la hauteur de la case de Toumi.

— Toumi, sors de ta tanière !

Toumi ne tarda pas à se montrer, précédé dans son élan par ses deux chèvres, et la foule de poules et de poussins qui partageaient son toit de jour comme de nuit.

— Je pars à Walou acheter du poisson, tu viens avec moi ?

La main en visière, Toumi regarda son ami en contre-jour.

— Tu as de quoi acheter du poisson ?

Douda exhiba deux sacs en toile de jute qui débordaient de figues de Barbarie, fixés sur les flancs de sa monture.

— Si j'arrive à vendre ça, j'achèterai un beau poisson.

Toumi distingua les sacs remplis à ras bord et se demanda par quel miracle ils pourraient tout vendre en une journée. Les figuiers de Barbarie poussaient partout dans la contrée et, de ce fait, son fruit, qu'on surnomme le sultan, ne valait rien dans la balance. Il y en avait pour une trentaine de kilos. Tout en exécutant un calcul mental, il s'imagina la peine que s'était donnée son ami pour aller chercher les sultans un par un parmi les épines. Trente kilos à un demi-dinar le kilo feraient quinze dinars de recette, ce qui était de mémoire le prix du kilo de poisson. *Sacré Douda*, se dit-il, *il a bien travaillé malgré le froid de décembre, dénichant les derniers fruits qu'avaient laissés les hommes et l'arrière-saison, et il n'espère plus que la baraka.*

— Partons !

Il détacha son mulet, le monta, et les deux amis prirent le chemin de la ville, à deux bonnes heures de là.

Douda affichait une mine fatiguée et tenait tant bien que mal les rênes de sa bête de ses

mains criblées d'échardes. Son regard était songeur.

— Le poisson, c'est pour Hadda, dit-il.

— Tu fais bien.

— Elle est enceinte.

Toumi sursauta sur le dos de son mulet :

— C'est une grande nouvelle ! Félicitations,
mon Douda !

Douda fixa son ami et s'accommoda de sa joie.

— Elle est enceinte de quatre mois. Tu la
connais, elle n'est pas capricieuse, mais en ce
moment, elle ne rêve que de poisson. Et tu sais
ce qu'on dit, une femme enceinte qui a des
envies de bouffe qu'elle ne satisfait pas met au
monde un enfant infortuné.

Toumi essaya d'enthousiasmer son ami :

— Réjouis-toi et arrête de t'en faire. On va le
rapporter, ce poisson !

Douda ne semblait pas l'entendre.

— Elle rêve de manger une dorade braisée sur
le kenoun. Comment peut-elle savoir qu'il y a
un poisson qui s'appelle dorade ? Elle m'étonne,
des fois !

Toumi fronça les sourcils, il ne connaissait du
poisson que le thon et la sardine en conserve.

— Ce n'est pas le moins cher, celui-là, soupira
Douda. Il va falloir les vendre jusqu'au dernier,
ces malheureux sultans.

Walou leur apparut au milieu de la matinée.
Le bourg grouillait de locaux comme de gens de
passage, les voitures et les charrettes disputaient
les routes aux piétons et au bétail. Ils attachèrent

les mules et s'installèrent à l'entrée du marché.
Alors que Douda s'écroulait de fatigue, Toumi
prit en main la suite. Il déchargea la marchandise, l'exposa du mieux qu'il put puis se lança :

— Un dinar les huit sultans ! Un dinar les huit
sultans ! répéta-t-il.

Quand le muezzin appela à la prière du midi,
ils n'avaient empoché que trois dinars.

Ils partirent prier. À Walou, ils ne sautaient
aucune prière car c'était pour eux l'occasion de
se laver grâce aux robinets à disposition dans la
salle d'eau de la mosquée. Douda pria le Très-
Généreux de tout son cœur pour une petite
dorade afin que Hadda ne mît pas au monde
un enfant infortuné.

Mais l'après-midi ne fut guère meilleur que
la matinée, si bien que Douda revit à la baisse
ses ambitions :

— Un dinar les douze sultans ! Un dinar les
douze sultans !

Le nouveau tarif rabattit quelques autres
clients mais pas suffisamment. À la fin de la
journée, ils avaient sept dinars et la moitié d'un
sac sur les bras. Peu à peu, le marché s'éteignait.
Les commerçants commençaient à ranger leurs
étals.

— On a un Sept Vivace, dit Toumi. Il doit
bien valoir quelque chose ! Vite, avant que les
poissonniers ne mettent les voiles.

Douda le suivit en serrant comme un talis-
man les dinars dans sa main abîmée. Ils par-
coururent sur leur chemin le rayon des primeurs

où il vit des fruits réputés plus nobles que le sultan atteindre au kilo des prix exorbitants. Les légumes n'étaient pas en reste. Tout avait flambé. Au rayon des bouchers s'achevait pour beaucoup le projet de cuisiner un bout de viande.

Douda avançait à reculons. Il avait peur de poursuivre, ses pas en devenaient lourds. Il se disait qu'un homme qui pouvait tout juste se payer deux kilos de bananes ne pouvait pas aspirer à acheter une dorade. Mais Toumi n'avait pas l'air de s'en rendre compte et traçait tout droit. À mesure qu'ils s'approchaient, ils sentaient l'odeur de la mer et les chats devenaient plus nombreux que les hommes. Miaulant de frustration à l'entrée du territoire des poissonniers, les plus aventureux ne gagnaient qu'un sévère coup de pied.

Les poissons étaient exposés en épi dans de la glace pilée, lisses et luisants, divers de taille, de forme et de couleur. Pourtant, ils avaient tous les yeux écarquillés et la bouche grande ouverte, comme ahuris de voir les deux compères se présenter devant leur majestueux étal. Derrière leur marchandise, les poissonniers se tenaient debout sur les grandes estrades, ce qui leur conférait une taille considérable. Tabliers en nitrile, gants en caoutchouc et bottes en plastique jusqu'aux genoux, ils finissaient par leur apparaître comme des tortionnaires. Douda se sentit petit et misérable au point d'en perdre la parole.

— C'est lesquelles, les dorades ? demanda Toumi.

D'un doigt tremblant, Douda désigna un tas argenté. Par-dessus, l'écriteau affichait le prix de trente dinars le kilo. Toumi avait du mal à y croire :

— Ce n'est pas possible, il doit y avoir une erreur.

Et il interrogea le commerçant :

— L'ami, à combien est le kilo ?

Le poissonnier se pencha et identifia l'objet de sa convoitise :

— La dorade ? C'est trente dinars !

— Trente dinars le kilo ?! siffla Toumi.

— C'est de la dorade de mer, pas de la dorade de piscine, expliqua le poissonnier. La dorade d'élevage est à moitié prix, mais il ne m'en reste plus.

Toumi ne connaissait ni la mer ni la piscine. Du coup, les explications de l'homme ne trouvèrent pas grâce à ses yeux. Il s'indigna :

— Et alors ? C'est du vol !

L'air outré, le poissonnier descendit de son estrade. Il n'avait au final rien de géant. C'était un vieux pêcheur à la peau tannée par le sel et le soleil.

— Vous croyez que j'en mange, moi, du poisson que je pêche ? Vous savez combien me coûte de sortir en mer et de ramener le poisson dans la glace jusqu'à Walou ? Il y a sans doute des gens qui volent encore dans ce pays, mais ils ne sont pas là !

Pendant que Toumi, confondu, marmonnait quelques excuses, Douda sortit de son silence :

— L'ami, qu'est-ce que je peux avoir pour sept dinars ?

— Tu peux avoir quelques rougets.

— Pèses-en pour cette somme, se résigna-t-il. Je lui dirai que c'est de la dorade, souffla-t-il à Toumi.

Alors qu'ils s'apprêtaient à déguerpir, le muezzin appela à la prière du crépuscule. Les deux amis se regardèrent puis prirent de nouveau le chemin de la mosquée. À sa porte, comme un jour de rentrée de classe, se bousculait une foule de jeunes gens. Comme eux, ils s'étaient laissé pousser la barbe, et portaient des tuniques et des coiffes, sans doute gagnées à l'occasion d'une autre grande distribution.

— Que se passe-t-il ? Pourquoi autant de monde ? demanda Douda à un homme qui organisait l'accès à la salle de prière.

L'homme, bien que débordé, répondit d'un ton fraternel :

— C'est le prêche du crépuscule, mes frères, comme tous les soirs ! Venez prendre place.

— Le prêche du crépuscule ? s'étonna Toumi.

— Comme tous les soirs ? s'étonna à son tour Douda.

Ils savaient pour le prêche du vendredi. En revanche, aucun d'eux ne savait que, désormais, il y avait des prêches au crépuscule, et presque à toute heure de la journée.

Douda tira la main de Toumi :

— On n'a pas le temps ! La nuit va tomber et de la lune il n'y a même pas un croissant pour nous éclairer au retour.

Mais l'homme qu'ils avaient questionné les retint vigoureusement par les épaules et les exhorta :

— Restez, mes frères ! Restez et écoutez ! C'est un saint homme qui va parler !

Et il les poussa à l'intérieur.

LA CONFUSION

10.

Douda et Toumi prirent place dans les rangs.
Ils comprirent en échangeant avec leurs voisins
que le saint homme était le nouvel imam de
Walou, chargé du prêche par le ministère des
Affaires religieuses, lui-même renouvelé de fond
en comble depuis la victoire du Parti de Dieu
aux élections nationales.

Assis dans le mihrab, l'homme faisait face
à une foule accroupie qui tendait grand ses
oreilles. Il toussa légèrement, chassa de sa gorge
chats et diables, leva les mains au ciel et tonna :

— Gloire à Dieu le Tout-Puissant et que
les louanges couvrent Son Prophète l'Ultime
du Nom !

Gloire à Dieu le Tout-Puissant et que les
louanges couvrent Son Prophète l'Ultime
du Nom !

Mes frères, prenez donc place et écoutez ma
parole. C'est une parole importante, alors prê-
tez l'oreille et écoutez jusqu'au bout, parce que
celui qui écoutera, quoi qu'il ait fait avant, verra
la table de ses péchés aussitôt purgée. Mes frères,
rapprochez-vous de moi, Dieu vous rapprochera
de Lui dans la Vie éternelle. Répétez après moi :

Gloire à Dieu le Tout-puissant et que les louanges couvrent Son Prophète l'Ultime du Nom!!!

La foule répéta sa parole encore plusieurs fois jusqu'à ce qu'il en fût satisfait. Il leva les mains et le silence régna.

— J'ai vu les gens se tourner vers celui qui a de l'or

» Et de celui qui n'a pas d'or, je les ai vus se détourner !

» J'ai vu les gens s'intéresser à celui qui a de l'argent,

» Et de celui qui n'a pas d'argent, je les ai vus se désintéresser !

» J'ai vu les gens guinguer, pour celui qui a des diamants,

» Et celui qui n'a pas de diamants, je les ai vus le dézinguer !

» Mes frères, je vais vous raconter une histoire. Une histoire qui s'est passée dans notre pays, récente qui plus est. Celle de deux frères, un riche et un pauvre. Le riche était éleveur de moutons et possédait un immense cheptel. Il ne partageait rien, même pas avec son propre frère. Pire ! Il le laissait croupir dans la misère. Un jour, le pauvre était assis dehors contre un mur avec son fils. Personne ne venait les voir, ni s'enquérir de leur situation. On les évitait même, comme des lépreux, alors qu'en face, son frère fortuné donnait un énorme festin où se bousculaient les gens. Entre deux bouchées, le riche éleveur éternua et sans même rendre grâce à Dieu, il continua de manger. Pourtant, du bout de la rue, les hommes accouraient pour le consacrer.

» "Que Dieu te bénisse ! Que Dieu te bénisse !" lui disait-on en lui embrassant la main et en quémandant une place dans le festin.

» Dieu fit que le pauvre éternua juste après et Lui rendit grâce. Cependant, personne ne vint le bénir.

» Son fils le lui fit remarquer :

» "Père, personne n'est venu te bénir, alors que de tout bord, les gens sont venus bénir mon oncle.

» — Fils, répondit le pauvre, Dieu bénit l'homme aux bonnes actions et les hommes bénissent l'homme aux nombreux moutons !"

» Voilà ce qui compte aujourd'hui, mes frères, aux yeux des gens : l'argent ! Mais dites-moi, à propos, est-ce que l'Élu était riche ? Répondez-moi ! Est-ce que l'Ultime du Nom était fortuné ?

Les têtes bougèrent comme des pendules :

— Non. L'Élu n'était pas riche !

— L'Élu n'avait que deux tenues, assena-t-il, et il dormait à même le sol ! Que les prières de Dieu soient sur lui. Dites après moi, mes frères : Que les prières de Dieu soient sur lui.

— Que les prières de Dieu soient sur lui ! reprit la foule en chœur.

— À sa mort, mes frères, l'Ultime du Nom avait sept pièces de bronze et une mule. Combien de pièces de bronze avait-il ? Combien ?

— Sept !

Le mage secoua la tête :

72

— Sept pièces de bronze, mes frères, et une mule. Mes frères, glorifiez le Seigneur !

— Gloire à Dieu tout-puissant !

— Sept pièces de bronze ! L'Ultime du Nom ne vivait pas dans un palais. Il n'avait pas de résidence sur la côte. Il n'avait pas de voitures de luxe et il ne portait pas de bijoux en or ou en diamant. Et de son vivant, il n'était pas un grand mangeur. Et qui est pour nous, mes frères, l'exemple à suivre ? Ces hommes cupides, qui amassent biens et fortunes, construisant châteaux et demeures, se souciant peu de leur demeure auprès de l'Éternel ? Est-ce que ce sont eux, les exemples à suivre ?

Les têtes bougèrent comme des pendules :

— Non, ce ne sont pas eux, les exemples à suivre !

— Bien sûr que non ! Le seul exemple à suivre dans ce monde, c'est l'Ultime du Nom, que les louanges de Dieu soient sur lui !

— Que les louanges de Dieu soient sur lui !

— Bien, mes frères, mais savez-vous pourquoi l'Élu n'accordait que peu d'importance aux apparences et aux choses matérielles ? Dieu l'a dit. L'Élu l'a dit ! Savez-vous ce qu'Il a dit ?

Les têtes bougèrent comme des pendules :

— Non, on ne sait pas ce qu'il a dit !

L'imam secoua la tête :

— L'Élu a dit : « Dieu ne regarde pas en vous votre image ni votre fortune, mais regarde vos cœurs et vos actions. » Vos cœurs et vos actions !

Que voit Dieu en nous ? Répétez-le après moi :
Nos cœurs et nos actions !

— Nos cœurs et nos actions !

— Pour cela, mes frères, inspirons-nous des premiers compagnons. C'étaient des hommes aux cœurs purs et aux actions guidées, au point que le Prophète les informa de leur vivant de leur accession au Paradis. Mais savez-vous où sont morts les compagnons de l'Élu ? Allez, dites-moi où ils sont morts ? Dites-moi où ils sont enterrés ?

— On ne sait pas où ils sont morts !

— Après la mort de l'Élu, les compagnons allèrent répandre la foi aux quatre coins du monde. Le plus illustre des compagnons est mort en Asie mineure, un autre non moins illustre est mort en Asie centrale, un autre au nord de l'Afrique. Aucun des compagnons de l'Élu n'est mort chez lui et enterré dans son jardin. Vous savez pourquoi ? Vous savez pourquoi ?

La foule hocha la tête :

— Non, on ne sait pas pourquoi.

— Mes frères, aucun des compagnons n'est mort chez lui car ils ont tous pris la route de Dieu pour propager Son message, alerter ceux qui ne savaient pas encore, convaincre ceux qui ne l'étaient pas encore, et combattre ceux qui ne voulaient pas entendre. Le plus vieux des compagnons, Abu Kalta, était un saint homme. Comment s'appelle-t-il ? Comment s'appelle-t-il ?

— Abu Kalta ! résonna la salle.

— Abu Kalta était un saint homme. Il est mort à plus de quatre mille kilomètres de chez lui, sur la route des Indes. Même à son âge avancé, il était de toutes les batailles et le premier à brandir l'étendard sacré. Lors de ses dernières ambassades, il avait du mal à grimper à cheval et il demandait à ses compagnons de bien le sangler à sa bête car il n'avait plus assez de force pour lui serrer les flancs. Et quand vint son heure, alors qu'il était sur son lit de mort, il prononça son testament. Savez-vous quel était son testament ? Savez-vous ?

— Non, on ne sait pas.

Le prêcheur avait les larmes aux yeux et sa voix s'émut :

— Le vieux compagnon demanda qu'on attache l'étendard à sa dépouille et qu'on attache sa dépouille à un cheval puissant qu'on laisserait cavaler dans la jungle indienne, afin qu'il étende le royaume de Dieu même après sa mort. Glorifiez Dieu mes frères !

— Dieu est grand !

— Savez-vous, mes frères, quelle récompense attend celui qui prend la route de Dieu pour étendre son royaume ? Sa prière du soir compte pour sept cent mille prières ordinaires, alors que cette même prière dans les lieux saints ne vaut que cent mille prières ordinaires. Vous imaginez, mes frères, la récompense que réserve Dieu à celui qui prend Sa route ? Les hommes de science disent que le Tout-Puissant porte au double la récompense pour les œuvres de bien le

75

jour du Jugement dernier. Vous savez combien cela fait au total ? Dites-moi combien cela fait ? Dites-moi !

Le prêcheur prit son auditoire à court car personne n'était assez bon comptable pour à la fois imaginer tant de zéros et les multiplier par deux. Mais comme il avait fait le calcul depuis le début, il ne tarda pas à les impressionner.

— Cela ferait un million quatre cent mille prières ordinaires rien que pour une prière du soir faite sur la route de Dieu ! Un million quatre cents prières ! Voilà la vraie richesse, mes frères ! Gloire à Dieu tout-puissant ! Répétez après moi, Gloire à Dieu tout-puissant !

— Gloire à Dieu tout-puissant, reprit la foule en chœur.

L'imam secoua la tête :

— Mes frères, je vais vous en conter une bonne, sur le compagnon de l'Élu qui a conquis la pointe nord de l'Afrique, que les louanges soient sur eux. À l'époque, ce coin était une vraie jungle. En plus des barbares qui y habitaient, il y avait des fauves de toutes sortes. Des lions, des éléphants, des panthères, comme ce qu'il y a aujourd'hui dans le pays des Noirs. Il y avait même des serpents d'une taille considérable, capables d'engloutir un homme en quelques minutes. Six campagnes et six échecs, et dans la région, la parole de Dieu toujours pas répandue. Les barbares étaient féroces et la nature sauvage. Alors on confia la conquête à un septième homme, Abu Tassa. Comment s'appelle-t-il ? Comment s'appelle-t-il ?

— Abu Tassa !

— Abu Tassa, mes frères, que les louanges soient sur lui. C'était un des derniers compagnons, un homme à la foi inébranlable, et c'est avec sa foi qu'il a affronté la jungle. Trois jours et trois nuits durant, accompagné d'hommes à la voix qui porte, il cria à pleine gorge : « Ô animaux de la jungle ! Nous venons transmettre la parole de Dieu, alors ne soyez pas pour nous un obstacle ! » Croyez-le ou pas, mes frères, au bout du troisième jour, ils virent les animaux quitter la jungle et partir au Sud, se réfugier dans le pays des Noirs ! Des gorilles qui sautaient d'arbre en arbre, des lionnes avec leurs petits dans la gueule, des serpents géants qui se faufilaient partout ! Vous le croyez ou pas ? Dites que vous le croyez ! Dites-le !

— Oui, on le croit ! reprit la foule en chœur.

— Gloire à Dieu mes frères ! D'après Abu Tangara qui rapporta qu'Abu Chankara avait entendu Abu Fantacha dire : « J'ai entendu Abu Machmacha dire qu'il avait entendu l'Élu dire : Si tu prends le chemin de Dieu, à ta vue, Dieu mettra la peur dans toute chose. Et si tu ne prends pas le chemin de Dieu, Il mettra dans ton cœur la peur de toute chose. » Que préférez-vous, mes frères, être craints de tout, ou avoir peur de tout ? Les hommes, les animaux, et même les dives ne peuvent atteindre un homme

77

qui a pris le chemin de Dieu ! Gloire à Dieu, mes frères ! Répétez-le !

— Gloire à Dieu, reprit la foule en chœur.

— Mais si tu prends le chemin de Dieu, tu ne t'appartiens plus. Tu Lui appartiens ! Tu Lui appartiens et tu as déjà un pied au Paradis. Tu n'es plus de ce monde mais dans un monde entre les Deux Mondes ! Tu n'appartiens plus à ta maison, tu n'appartiens plus à ta femme, tu n'appartiens plus à tes enfants, tu n'appartiens plus à ta patrie... Dieu t'appelle, et tu as pris Sa route, tu côtoies Ses anges et c'est à Lui que tu appartiens. Il t'a tout donné, comment alors Lui refuser quoi que ce soit ? Comment se soustraire à Son appel, si c'est à Lui que j'appartiens ! À qui j'appartiens ? Dites-le moi ! Dites-le moi, mes frères !

— C'est à Lui que j'appartiens ! répéta la foule.

— Oui, mes frères, c'est à Lui que j'appartiens, et c'est sa route que j'emprunte. Celui qui ne prend pas le chemin de Dieu, celui-là, mes frères, sa foi est incomplète ! Sa foi ne lui sert à rien, parce que c'est le propre des choses incomplètes ! Avez-vous déjà vu une voiture rouler avec trois roues ? Dites-le-moi !

Personne n'avait jamais vu un tel prodige. Les têtes hochèrent de concert :

— Non. On n'a jamais vu une voiture rouler avec trois roues !

— Non, mes frères. Une voiture à trois roues, une voiture incomplète, ne vous emmènera pas à destination. Il en va de même pour la foi.

Si elle est incomplète, elle ne vous mènera pas au Paradis. Où voulons-nous aller, mes frères, pour vivre l'Éternité ? Au Paradis ou en Enfer ? Dites-le moi ? Au Paradis ou en Enfer ?

— Au Paradis ! tonna la foule.

— Mes frères, gloire à Dieu tout-puissant. Que ceux qui veulent compléter leur foi et prendre le chemin de Dieu viennent me voir à la fin de la prière.

11.

À certaines heures de la journée, la source se meut en un véritable carrefour. Tôt le matin et tard l'après-midi, les Nawis comme les autres villageois des environs s'y ravitaillent. Située sur un relief jouxtant la montagne, il faut parcourir la steppe sur des kilomètres et grimper quelques roches pour y avoir accès. L'eau s'infiltre dans le roc et jaillit fraîche et cristalline. Personne ne connaît l'origine de ces précieuses gouttes qui ne tarissent pas même aux périodes sèches, mais tous savent que, sans ce don de la nature, la vie n'aurait pas été possible dans la contrée.

Baya évitait la source aux heures de pointe. Elle préférait s'y rendre quand il y avait moins de monde pour s'épargner les conversations d'usage. Qu'avait-elle donc à répondre à un cousin ou à une voisine qui lui demanderait des nouvelles de ses parents ?

Elle pourrait dire comment ils allaient, puis fondre en larmes et s'effondrer, ou mentir et se sentir encore plus seule. Ils étaient vieux et usés et si vieillir dans le confort pouvait être insupportable, vieillir à Nawa était un véritable cauchemar. Son père crachait du sang tous les matins et peinait à bouger le reste du temps. Sa mère perdait graduellement la vue et passait ses journées à longer les murs et à tâter le sol, essayant tout de même de rester active, se prenant au passage ce qui traînait par terre et dans tous les coins. Et au milieu de la scène, pieds nus, se baladaient ses petits frères et sœurs qui criaient famine.

Ce spectacle désolant lui pesait au quotidien et nombreuses étaient les fois où elle se cachait pour pleurer sa misère et son impuissance. Même Toumi et ses mots d'amour ne réussissaient pas à lui redonner le sourire, au contraire. Elle lui en voulait d'ignorer sa détresse, d'être aussi miséreux qu'elle et de n'avoir de surcroît aucune ambition. Ses airs romantiques qui l'amusaient naguère l'agaçaient aujourd'hui, et quand il évoquait mariage et enfants, elle avait envie de se jeter sur lui et de le secouer en hurlant :

— Aveugle ou bien stupide ? Ne vois-tu pas que ce n'est pas ce dont j'ai besoin !

Alors elle l'évitait comme le reste des gens.

Cela rendrait les choses plus faciles. Sa décision était prise et son départ imminent.

Mais Toumi était posté à la source dans sa nouvelle tunique. Il trépignait d'impatience. Un mois sans l'avoir vue ! Elle lui manquait comme le ciel manque au prisonnier. Désespéré, il avait fini par camper devant la fontaine, et enfin la voilà qui se profilait sur le dos de sa mule. Son cœur palpitait et il sauta sur place comme un enfant. Depuis leur adolescence, ils vivaient un amour platonique où la pudeur ne permettait que le contact de leurs mains.

— Baya, ma Baya, se réjouit-il. Tu es enfin là !

À sa vue, elle fit un pas en arrière. Son irruption la contraria et ses mains qui tenaient les bidons vides tremblèrent de colère. Elle le toisa puis dit sèchement :

— Que fais-tu là, Toumi, sans tes bidons ?

La tête dans les nuages, il ne releva pas sa colère et répondit avec passion :

— Je ne suis pas venu pour l'eau. Je suis venu pour te voir.

Son attitude l'exaspéra davantage. Elle lui tourna le dos et escalada les roches jusqu'au point d'eau. Il la suivit. Alors qu'elle se ravitaillait, elle lui demanda sans le regarder :

— Que me veux-tu, Toumi ?

Elle insistait sur son prénom et cela le torturait, car il espérait qu'elle l'appelât autrement.

— Comment ça, « que me veux-tu, Toumi » ? Je passe et repasse devant chez toi, je ne te vois pas. Je t'appelle et des fois j'ose élever la voix, mais tu ne me réponds pas, se plaignit-il. Tu me manques, mon amour !

Ses lamentations ne semblaient pas l'attendrir. Il n'arrivait même pas à lui décrocher un regard.

— Il faudra que tu t'y habitues, dit-elle. Je pars à la capitale pour travailler. J'ai une cousine sur place qui m'a trouvé une place de bonne couchante.

Toumi sentit le ciel lui tomber sur la tête et la nouvelle le laissa hébété. La capitale ! Pour être bonne couchante ! Les bonnes couchantes sont toutes comme Baya, des jeunes filles de la campagne. Elles sont embauchées dans des banlieues aisées pour assurer la gouvernance de la maison : ménage, repassage, cuisine et autres, moyennant toit et salaire. Si la majorité de ces filles envoient leur paie à leurs parents pour leur venir en aide, elles connaissent toutes des fortunes différentes. Certaines sont accueillies par des familles qui les considèrent comme l'une des leurs, d'autres par des familles où sommeillent des pervers. Certaines tombent amoureuses et se marient, d'autres tombent enceintes et disparaissent. Tout cela ne lui disait rien qui vaille mais son corps était lourd, y compris sa langue. En silence, il regarda Baya charger ses bidons et monter sa mule. Alors qu'elle s'éloignait sans un au revoir, il retrouva ses esprits et la rattrapa.

— Baya ! Attends ! Je ne veux pas que tu y ailles ! protesta-t-il.

Baya arrêta net sa mule :

— Tu n'es pas mon père, Toumi ! D'ailleurs, sais-tu comment il va ? Tu n'es pas ma mère non plus, Toumi ! D'ailleurs, sais-tu comment elle va ? Ils sont malades et ils sont en train de crever. Ils ont besoin d'aller chez le médecin, ils ont besoin de médicaments. Comment je vais leur payer ça ? Hein, Toumi ? Réponds-moi ! Comment je vais leur payer ça ? C'est toi qui vas m'aider ? Et comment tu comptes faire, dis-moi ? Tu iras ramasser des figues de barbarie comme ton ami Douda, chaque fois que tu auras besoin d'argent ?

Toumi baissa la tête. Elle souffrait autant que lui, mais sa détermination étouffa ses sentiments. Elle lâcha la bride de sa bête et le laissa planté dans la steppe comme une racine d'alfa.

12.

— Il y a une odeur de soufre dans l'air, gémit le Don.

Si la mode vestimentaire de ses vis-à-vis et leurs expressions inédites jetaient autant de trouble dans son cœur, c'est que, dans un passé qu'il avait occulté, il avait été témoin de leur usage, et qu'il savait à quel point de tels accessoires pouvaient travestir le diable en moine. Ce diable qui l'avait défait autrefois en Arabie se trouvait-il à nouveau à sa porte ?

Alors que le Qafar, le petit voisin, était capable de produire du gaz à foison grâce aux vents des ancêtres, le mystère planait toujours sur le subterfuge qu'employèrent les patriarches du vaste royaume d'Arabie pour saturer le sous-sol de ce liquide noir et puant, hissé au rang de l'or, qu'on appelle le pétrole.

Le roi Farhoud entretenait le mystère, et bien d'autres encore. Après avoir été la terre de la poésie puis de la Révélation, l'Arabie était devenue le royaume des messes basses et des secrets. Ainsi, pour mystifier ses interlocuteurs sur l'origine de cette manne, le roi se plaisait à raconter, non sans fierté, l'histoire de son arrière-grand-père, le roi fondateur qui, soutenu par l'aviation anglaise, avait déclaré l'indépendance vis-à-vis des Ottomans, et des chaouchs dans les terres saintes ne restèrent que les tarbouches. À l'époque, le royaume n'était encore que dunes de sables. Les Bédouins y vivaient dans l'indigence. Le roi rendait visite à ses tribus et savait se montrer généreux envers ceux qui se prosternaient devant lui. Un jour, il aperçut une vieille femme dans une grande détresse. Charitable comme à l'accoutumée, il la gratifia de quelques pièces d'or. Elle se jeta alors à ses pieds et pria, tout en frappant le sol de ses mains :

— Que le Bon Dieu vous révèle tous Ses trésors !

Quelques semaines plus tard, on fit la découverte du pétrole. Le trésor était en effet une faramineuse nappe de fluide fétide.

La trouvaille eut lieu au milieu des années trente et elle ne fut pas sans incidence sur la vie du royaume. Sur la terre de ces Bédouins

84

spartiates qui considéraient toute intrusion dans leur mode de vie comme une hérésie, le pétrole ramena du monde et des bizarreries qu'il fallait homologuer à coup de fatwa. Seuls les oulémas étaient capables d'édulcorer les pilules. Sa Majesté Farhoud se rappelait encore le réfrigérateur géant qu'avait offert le général Eatmore à la famille royale. L'éminent militaire était venu du Texas en personne pour exploiter des champs pétrolifères en échange de son amitié, de quelques cadeaux et de beaucoup de promesses. Alors adolescent, et comme la plupart des membres de la Cour, le roi Farhoud avait passé des journées entières à ouvrir et fermer les portes de la curiosité frigorifique, espérant surprendre le djinn qui s'y cachait et qui s'amusait à tourner l'eau en cristaux de glace.

Le royaume se transforma à mesure que le monde changeait et consacrait le pétrole comme énergie première. Et même si le baril était bradé pour les amis, la manne qu'il rapportait avait de quoi éradiquer la faim, explorer les abysses des océans et les fins fonds de l'espace. Il n'en fut rien. Le roi et sa descendance avaient pour cette rente des projets de moindre ampleur. Des palais avec toilettes ornées de pierres précieuses, des Ferrari montées sur des jantes en or, des concerts privés de stars du show-biz, et les machines à sous des casinos de Las Vegas.

Mais pour ne pas entacher leur réputation aux yeux des fidèles, les excès des autoproclamés gardiens de la foi étaient des secrets bien gardés.

Mieux encore, ils avaient réussi la prouesse de figer le temps, entretenant par-dessus l'Arabie une chape moyenâgeuse, n'autorisant qu'une modernité de façade faite de télévisions, de chips et de pots de mayonnaise... Les femmes demeuraient un vice à cacher et l'épée et le fouet étaient de rigueur. Les péchés sont les mêmes depuis la nuit des temps, alors pourquoi diable changer les châtiments ? Ainsi, il était d'usage de fouetter les fauteurs de troubles et de couper au sabre sur la place publique mains de voleurs et têtes d'hérétiques.

Ce fut pour cette raison que le recruteur de la coopération agricole posa au Don un ensemble de questions personnelles lors de son entretien d'embauche. C'était la fin des années soixante ; le pays, indépendant depuis une décennie, s'enfonçait dans la pauvreté après l'échec de ses expériences socialistes. De son côté, le royaume d'Arabie s'essayait à l'agriculture à travers un vaste programme et recrutait à tour de bras de la main-d'œuvre étrangère.

Le Don avait lu l'annonce dans le journal. Dans l'imaginaire collectif, l'Arabie était une terre bénie par son histoire et par sa bonne étoile, alors il avait décidé de saisir sa chance.

Le recruteur avait un cahier des charges précis. Ne pouvaient être embauchés que les artisans mâles bien hormonés, très croyants et bons pratiquants. Car comme le décrétait la fameuse fatwa, les Eatmore étaient les seuls mécréants de la planète autorisés à travailler dans le royaume, même les imberbes d'entre eux. C'est pour cela qu'à l'entretien, il constata avec satisfaction que le Don portait une splendide moustache paysanne, avant de sonder aussi bien ses mœurs que ses compétences.

— Tu es dans les abeilles ?
— Oui.
— Depuis quand ?
— Depuis toujours.
— Tu as des ruches ?
— J'en exploite une dizaine pour le compte de la coopérative, et j'en ai cinq chez moi.
— Intéressant ! Tu sais élever des reines ?
— Oui, je sais.
— Bien ! Maintenant dis-moi, tu aimes déconner ?
— Déconner ?
— Tu sais ! Déconner, boire de l'alcool, voir les filles.
— Non, je n'aime pas déconner.
— Tu fais tes prières ?
— Oui.
— Tous les jours ?
— Tous les jours.
— Parfait !
— N'est parfait que Dieu.

En aparté

De l'ours on dit que, quand il va aux logis des abeilles pour leur prendre le miel, les abeilles commencent à le piquer, de sorte qu'il laisse le miel et court à la vengeance ; et voulant se venger de toutes celles qui le mordent, il ne se venge d'aucune, en sorte que sa voie [course] se change en rage ; se jetant à terre en s'exaspérant, il s'en défend en vain avec les mains et avec les pieds.

Leonardo DA VINCI,
Les Manuscrits de Léonard de Vinci[1]

---

1. *Les Manuscrits de Léonard de Vinci*, trad. Charles Ravaisson-Mollien, A. Quantin, Paris, 1881.

13.

Le Don travailla pour l'un des nombreux princes héritiers, dans un domaine situé au cœur du désert. Et même si les conditions étaient difficiles et les salaires décevants, il ne rechignait jamais à la tâche, se contentant de ce qu'il gagnait. Il aimait son métier et participait avec ses abeilles à la métamorphose du domaine en un petit coin de paradis. L'eau était acheminée depuis les stations d'épuration, les dunes étaient aplanies et le sol recouvert de terres cultivables où serpentaient les fins ruisseaux du réseau d'irrigation. Les plantes prospéraient dans les potagers et les champs d'arbres fruitiers s'épanouissaient grâce au savoir-faire des maraîchers et des agronomes étrangers. À la fleuraison, ses filles se mettaient à l'œuvre et lui rapportaient un miel rare, car le désert a cela de particulier : il sublime tout, le beau, le laid, le bien, le mal.

Comme le reste des employés, il était en permanence supervisé par des autochtones qui ne comprenaient rien à l'agriculture. Leur science était de nature religieuse et ils en usaient pour trancher, quelles que soient les circonstances. C'est ainsi que le directeur de l'exploitation contrecarra les plans de ses agronomes et décida que les arbres fruitiers seraient alignés en direction du sud-ouest. Une exposition accrue au soleil, qu'à cela ne tienne ! Car disposés de la sorte, ils seraient orientés vers La Mecque.

Il mata les protestataires avec des arguments de poids :

— Abraham ne s'est-il pas tourné vers Dieu, quand les siens ont allumé un bûcher et l'ont jeté dedans ? Et qu'a fait Dieu ? N'a-t-Il pas transformé le feu en fraîcheur et paix sur Abraham ? De même, ces arbres seront tournés vers Dieu et Dieu transformera la chaleur du soleil en fraîcheur et paix sur eux et ils produiront davantage que s'ils avaient été à l'ombre.

Il était inutile de contester. Ils étaient là en tant qu'exécutants et on ne manquait pas de le leur rappeler, parfois avec et souvent sans tact.

Le Don s'arrêtait peu sur les mœurs indigènes et profitait du mieux qu'il pouvait de l'Arabie des poèmes d'antan. Il s'échappait dans le désert dès que l'occasion se présentait, de jour ou de nuit, à cheval ou à chameau. Il s'enfonçait dans les dunes corps et âme, cherchant l'harmonie dans la fraîcheur d'une grotte ou sous le ciel étoilé. Parfois, alors qu'il se pensait seul, les gazelles et les oryx parcouraient son champ de vision comme des éclairs, et parfois, il croisait des ruines sorties de nulle part, vestiges d'un passé lointain.

Mais son travail lui prenait le plus clair de son temps. Il développait constamment de nouvelles ruches pour accompagner l'extension du domaine et satisfaire les demandes pressantes de la Cour, dont la consommation en miel dépassait l'entendement. Elles étaient telles qu'il arrivait à peine à constituer du stock. À chaque récolte, un représentant du palais venait chercher l'ensemble de la production soigneusement coulée dans des réservoirs en inox.

Après trois ans de production acharnée, le Don comprit les raisons de cette invraisemblable consommation.

Ce printemps-là, éprouvé par le pèlerinage à La Mecque, le prince vint se délasser au domaine.

La veille, le directeur de l'exploitation fut informé de son arrivée par téléphone et aussitôt tous se mirent en ordre de marche pour l'accueillir comme il se devait. Alors que les uns tondaient les pelouses et nettoyaient les allées, les autres s'attelaient à monter une vaste tente digne de l'empereur des Mongols. Au milieu de l'oasis, non loin d'un ruisseau, on planta des piques, on tira des cordes et on déploya la solide toile. L'intérieur fut doublé de pashmina, le sol couvert de peaux de chèvre et de tapis persans. On installa des assises confortables, des canapés et des couchettes garnis de plumes d'autruche. Rideaux, lampes et fins voiles furent suspendus. On déposa de l'encens d'Éthiopie, des carafes d'eau bénite et des corbeilles de fruits exotiques.

Le domaine était presque prêt à recevoir son illustre hôte.

Restait le miel. Alors que la Cour n'était que de passage, le directeur réclama un réservoir de vingt litres.

— Vingt litres ?!

— Vingt litres.

La fleuraison commençait à peine et le Don n'avait que peu de stock. Pour fournir ce volume, il devrait ravir à ses filles une partie de leur nourriture. Obéir à cet ordre les affamerait.

Même contrarié, il ne discuta pas. S'il contestait, le directeur ne manquerait pas de lui citer, en grattant sa barbe de religieux savant, une histoire de la vie de Noé ou de Jonas, voire de l'Ultime du Nom, pour lui signifier qu'il ferait mieux d'obéir. À contrecœur, il ouvrit ses ruches et entreprit envers elles des gestes obscènes amèrement exécutés. Il finit par se vider l'âme pour remplir la part du prince.

Ce dernier débarqua avec sa cour rapprochée le matin suivant. Les ouvriers étaient priés de travailler comme d'habitude tout en se tenant à l'écart du campement. Seul le Don était libre de ses mouvements car ses ruches étaient partout réparties. Il aperçut la caravane moderne composée de cinq Hummer et entendit le directeur de l'exploitation accueillir les arrivants avec la plus extrême déférence. Alors que les hommes de main déchargeaient les coffres, sa fine ouïe détecta des voix féminines.

Ses butineuses avaient démarré la journée tambour battant, investissant dès l'aube les arbres fruitiers au pied desquels le Don avait placé les ruches. Conscientes de leur manque de provisions, les abeilles multipliaient les vols à une fréquence nocive.

— Pardonnez-moi, mes belles ! C'est que le prince est là ! s'excusa le Don, tête et voix basses.

Penché au chevet d'une ruche, il sentit une présence dans son dos. Il se retourna, mais l'ombre avait déjà bougé. Il se tourna à nouveau et c'est là qu'il la vit. Elle lui faisait face, l'air amusé de sa gestuelle et de ses monologues.

Le Don, foudroyé, demeura immobile telle une statue de sel.

Malgré quelques chuchotements de femmes portés par le vent, il ne s'imaginait pas se trouver en face de l'une d'elle, dressée en robe d'été, pieds nus et cheveux rebelles. Au royaume, les femmes étaient contraintes de vivre silencieuses et voilées, car le diable habitait leurs cheveux, leur peau et leurs cordes vocales. Elles n'avaient pas le droit de se hasarder loin de leurs tuteurs, car livrées à elles-mêmes, elles ne pouvaient rien contre le diable qui logeait dans leur entrejambe. Ainsi avaient légiféré des barbus hissés au rang d'oulémas et telles étaient les lois au royaume... et l'entorse aux lois pouvait facilement aboutir au spectacle d'un dos qui saignait ou d'une tête qui roulait.

— Tu parles tout seul ? lui demanda-t-elle.

— Je parle aux abeilles, souffla-t-il.

— J'aurais été plus rassurée si tu parlais tout seul, rit-elle.

Elle était jeune. Elle devait avoir son âge, peut-être moins.

— Et que leur disais-tu ?

— Je leur disais de ne pas s'en faire. Qu'il leur suffisait de déployer leurs ailes et elles seraient guidées.

La jeune femme eut une expression triste, claire mais furtive.

— Et elles t'écoutent ?

— Je crois que oui.

Comme un mirage, elle disparut aussi soudainement qu'elle était apparue, le laissant baba, à se demander s'il ne l'avait pas rêvée.

Il passa la nuit dans une sorte de fièvre hallucinatoire. Il était agité, tournait et se retournait dans son lit, songeant à elle... Comment s'appelait-elle ? D'où venait-elle ? Était-elle une princesse ? Que connaissait-il des princesses, à part qu'elles étaient destinées aux princes ?

Le lendemain, à la même heure et au même endroit, il attendait. Alors qu'il désespérait de la revoir, elle réapparut, éclipsant tout sur son passage. Elle était là, encensant l'air de son parfum, et de nouveau, elle lui souriait.

— Comment vont les abeilles ?

— Elles travaillent, dit-il bêtement, noyé dans son sourire.

— Et toi, tu es l'apiculteur ?

— Oui.

— Tu profites de leur travail !

94

— Toute la nature profite de leur travail. Moi je m'occupe d'elles, c'est ça mon métier.

— C'est un métier qui me semble plutôt tranquille !

— Il peut être dangereux.

— Et que risque-t-on alors ? La piqûre d'une abeille ?

— Ou l'attaque d'un ours !

Elle rit :

— Rien que ça ?

— Absolument, madame ! répondit-il avec sérieux. Et pas de n'importe quel ours ! Un authentique ours de Numidie, certainement un des derniers spécimens.

— Mademoiselle, se plut-elle à le corriger.

— Mademoiselle, répéta-t-il comme un perroquet.

Elle s'assit à même le sol, et l'invita du regard à l'imiter.

— Une attaque d'ours, alors ? Raconte-moi !

Il s'assit en face d'elle et prit une grande inspiration :

— À côté de mon village, il y a une montagne où l'air est frais et les fleurs sont abondantes. J'avais coutume d'y emmener mes ruches et mon père aussi avant moi, mais aucun de nous deux n'y avait jamais vu un ours de Numidie. Personne dans la région non plus. L'espèce était déclarée éteinte depuis deux siècles et son existence était devenue légende. On ressentait l'esprit de l'ours dans la forêt reculée, quand le silence frappait les créatures sans raison apparente. On le soupçonnait d'être à l'origine de quelques traces incongrues : de profondes griffures sur l'écorce des arbres, de larges empreintes dans la boue… mais aucun témoignage oculaire… Jusqu'à cet été, jusqu'au jour où je l'ai vu de mes propres yeux. Brun, immense, taillé comme un roc.

— Un ours de Numidie ? dit-elle en affichant une mine incrédule.

Le Don confirma de la tête.

— Après trois semaines de butinage passées à la montagne, je commençais à ranger mon matériel. J'étais content de la récolte, le miel abondait dans les ruches et partout son odeur se répandait. Je m'apprêtais à charger ma charrette quand je l'ai vu débouler sur moi. Un authentique ours de Numidie, beau mais féroce, les yeux brillants, sans doute excité par l'odeur du miel qui inondait les alentours.

Ses yeux à elle brillaient aussi.

Il continua :

— Mon âne a déguerpi et j'ai mis des jours à le retrouver. Quant à moi, j'ai tout de suite grimpé à un arbre et je me suis accroché à la première branche. J'ai regardé l'ours se redresser, secouer le tronc jusqu'à me faire vaciller. Je me disais que j'aurais aimé l'observer dans d'autres circonstances et je priais Dieu pour ne pas tomber par terre à ses côtés. Heureusement, il s'est rapidement désintéressé de moi. Il était là pour le miel.

Il s'arrêta un bref instant. Elle était bel et bien suspendue à ses lèvres.

— Il a tourné un moment autour des ruches et puis d'un coup de patte, il en a fracassé une, faisant voler les planches, le toit et les cadrans, et a mis aussitôt le museau dedans, sans savoir quelle colère il avait déclenchée ! Un nuage d'abeilles s'est aussitôt formé autour de sa tête et l'a piqué sans relâche. Il a continué d'explorer sa prise en essayant de le dissiper, de s'en accommoder, en vain... Au bout de quelques minutes, ses oreilles et ses naseaux étaient devenus braises. Les piqûres qu'il subissait lui étaient si insupportables qu'il a dû s'enfuir fissa, poursuivi par les foudres du nuage qu'il avait attisées.

Elle rit à son récit et dit sur un ton faussement accusateur :

— Tu te payes ma tête, tu as tout inventé !

— Tu ne me crois pas ?

— C'est une histoire juste improbable !

Le Don rassembla son courage :

— Ce qui est plus improbable encore, c'est cette foudre qui me frappe deux jours de suite au même endroit.

Elle rougit, baissa la tête, puis leva les yeux et confessa :

— C'est vrai. Néanmoins, n'en déplaise à l'improbable, aujourd'hui, je suis venue exprès.

Il chavirait.

Mais des voix qui se rapprochaient les arrachèrent à leur romance. Ils la réclamaient.

— Asma, où es-tu ?

— Alors tu t'appelles Asma, murmura-t-il.

Elle tourna la tête, se releva à la hâte et s'empressa de reculer :

— Sauve-toi, vite ! Il ne faut pas qu'on nous voie ensemble !

Soudain les voix prirent forme et trois hommes, dont le directeur de l'exploitation, firent irruption. Même en polo et en bermuda, et non en tunique comme sur son portrait officiel, le Don reconnut le prince pour qui il travaillait.

— Asma, par ici, gazelle farouche ! ordonnat-il en avançant. Il ne faut pas que tu quittes la tente !

En la saisissant par le bras, il finit par remarquer, à quelques mètres de là, le Don, figé au pied de ses ruches.

— Qui est cet homme ? cria-t-il.

La jeune femme blêmit et le directeur de l'exploitation se précipita de répondre :

— Votre Altesse, c'est l'apiculteur du domaine.

— Ah ! L'apiculteur du domaine ! s'adoucit-il. Approche donc !

Le Don s'approcha et le directeur lui fit signe de s'agenouiller. Il se sentit faible et obéit. Il fléchit une jambe, son genou effleura le sol. Le prince lui tapota l'épaule :

— Le miel du domaine est excellent !

— Merci, Votre Altesse.

— Tu m'as préparé mon réservoir ?

— Oui, Votre Altesse.

— Que Dieu te bénisse, tu fais du bon travail ! dit-il en sortant de sa poche une liasse de billets verts ; il lui en glissa quelques-uns, puis il se tourna vers la fille : Asma, file devant !

Le directeur se pencha sur lui et souffla :

— Tu as eu de la chance ! Rapporte le réservoir à la tente en fin de journée !

Le Don se releva et la vit s'éloigner encerclée de ses gardes. Il regarda les billets verts dans sa main crispée. Il eut l'impression qu'il empoignait des vipères. Jamais il ne s'était agenouillé devant un homme auparavant et ce n'était pas cet argent qui allait lui donner compensation. Il jeta par terre les billets que le vent balaya. Mais rien ne balaya le souvenir de cette femme, de cet affront, et de ce qu'il avait vu cette nuit-là.

14.

Au crépuscule, le Don ramassa ses ruches et les rapporta à la miellerie où elles passaient la nuit, à l'abri du froid nocturne du désert. Elles étaient calmes et silencieuses, alors qu'il bouillonnait comme un chaudron. Il n'était pas d'une lignée qui s'agenouillait devant les princes, et pourtant...

Lorsqu'il chargea le fameux réservoir dans son utilitaire et qu'il se dirigea vers le campement princier, le soleil parachevait sa douce chute derrière les dunes. Asma était sous la tente et il avait envie de la voir. Une envie à lui faire perdre la raison.

Il se gara à l'entrée du campement. Autour d'un feu de camp, le prince et ses compagnons chantaient au son des duffs et des rababs. À sa vue, les gardes accoururent pour le débarrasser de sa cargaison. Mais il ne lâcha pas le réservoir, et continua à avancer en les alertant :

— Attention, c'est fragile. Dites-moi où le poser.

Ainsi, il dépassa les hommes chantants et pénétra dans la tente, où régnait une lumière tamisée. Derrière le serviteur qui le guidait, ses pieds s'enfonçaient dans les tapis persans jusqu'à deux grandes vasques en marbre. L'une était remplie de dollars à ras bord. L'autre était vide.

— Verse-le dedans !

Pendant que le miel emplissait la vasque vide, il leva les yeux à sa recherche. Son regard se heurta d'abord à des bouteilles débouchées, enveloppées dans des serviettes et noyées jusqu'au cou dans des seaux de glace pilée. En dépit de l'encens partout embrasé, son nez reconnut la puissante odeur de l'alcool pourtant banni du royaume. Au fond, derrière les voilages, il aperçut l'ombre de femmes assises et reconnut sa voix parmi les timbres rieurs et le tintement des coupes qui trinquaient.

— Dépêche-toi ! s'impatienta le garde.

Il pencha davantage le réservoir et le flux de miel s'épaissit. Dehors, le rythme de la musique s'accélérait, les chants devinrent plus tonnants et nerveux. *Que se passe-t-il ici ?* se demanda-t-il. *Pourquoi ces vasques de miel et de dollars ?*

La dernière goutte tomba comme une larme.

— Maintenant, tu déguerpis !

Il sortit de la tente, démarra l'utilitaire et prit la direction du foyer des travailleurs, à l'autre bout du domaine.

Aujourd'hui encore, il se demandait pourquoi il s'était arrêté au milieu de l'oasis, pourquoi il avait rebroussé chemin. Et quelle aurait été sa vie s'il s'était plié aux ordres.

La main de la nuit avait fini de charbonner les voiles du ciel. Il usa de l'obscurité pour contourner les gardes jusqu'à l'arrière de la tente, et de son couteau de poche pour la transpercer légèrement. Il savait qu'en bravant les interdits, il risquait sa vie. Mais une force invisible le clouait sur place, et maintenait son œil ouvert bien collé à son judas de fortune.

Le prince et ses compagnons étaient allongés sur les assises, narguilés fumants et verres débordants d'alcool. Les femmes n'étaient plus en retrait, mais elles occupaient le devant de la scène. Ne cachant ni leur présence ni leur corps, elles dansaient entre les hommes et les vasques. La tente n'était en réalité qu'un luxueux cabaret oriental.

Asma faisait partie des danseuses. Elle était même la plus douée. Les pans diaphanes de sa tenue nimbaient sa peau et parachevaient sa métamorphose érotique. La voici vamp, maîtrisant à la perfection ses appas. Elle ondoyait le galbe de ses seins et la chute de ses reins devant le prince, se déplaçant vers lui comme une vague lascive, tantôt l'aguichant, tantôt le fuyant, tout en riant quand il profitait de ses inclinaisons pour placer sa main ou sa tête.

Le Don n'en revenait pas. Dans son for intérieur, là où une voix lui réclamait de partir, une autre lui imposait de rester jusqu'au bout, mais son esprit confus manquait de discernement pour savoir quelle était la voix de Dieu et quelle était la voix du diable. Il choisit de rester.

Le prince secoua le duff et fit taire l'assemblée.

— Mes amis, l'heure est au miel. Le miel du domaine est dense et il colle à la peau plus que l'âme au corps ! Voyons ce qu'elles vont empocher ce soir !

Le prince pointa Asma du doigt :

— Asma, tu es ma préférée ! Vas-y en premier.

Asma se déculotta devant les hommes. Elle rassembla sa longue chevelure au-dessus de sa tête, puis elle s'assit dans la vasque de miel. Elle prit soin de bien tremper ses hanches dans le liquide sacré, avant de se relever et de changer de vasque. Les gouttes dégoulinaient encore le long de ses cuisses quand elle se tortilla le derrière dans la mare de billets verts.

Enfin elle se redressa.

Son cul était recouvert de dollars.

— Approche, maintenant ! ordonna le prince.

Elle s'exécuta. Devant lui, elle se tourna et lui présenta sa prise. Le prince décollait les billets de ses fesses, et les compta au fur et à mesure en se léchant les doigts.

— Deux cents, cinq cents... Mille, mille cinq cents, deux mille, et il y en a encore ! s'exclamat-il. Mes amis, je crois qu'elle va battre le record !

Les convives applaudirent l'exploit de la jeune femme tandis que le prince continuait de compter :

— Deux mille cinq cents, deux mille neuf cents, trois mille dollars ! Bravo ! l'acclama-t-il en administrant une claque à son postérieur. Asma, tu n'auras pas perdu ta soirée ! Suivante !

Les autres filles ne manquèrent pas leur tour et leur implication dans les vasques déterminait leurs récompenses. À la gloire du diable, le divin miel coulait le long des peaux, perverti par des hommes qui, le jour levant, prétendaient œuvrer pour Dieu et Ses lieux saints, dictant leurs rhétorique et fatwas, barbes et accoutrements.

Le Don ne resta pas au bout de l'orgie romaine qui s'ensuivit. Il repartit par le même chemin, prenant soin d'effacer ses traces, puis il redémarra doucement l'utilitaire et roula phares éteints jusqu'au foyer. Derrière le volant, la nausée lui monta au nez. Il s'arrêta pour vomir. Il était écœuré, dégoûté de lui-même. Dégoûté d'avoir mis genou à terre devant un tel homme. Dégoûté d'avoir contribué depuis tout ce temps à la réussite de ces cérémonies, même au prix de la viabilité de ses abeilles. Dégoûté d'avoir été aussi naïvement charmé par cette fatale sirène.

103

Le regard hagard, il trouva le foyer en ébullition. Le transistor était branché sur Radio Le Caire qui diffusait des champs guerriers. Un collègue égyptien lui sauta dessus :

— Sadate vient d'annoncer qu'il était prêt pour le combat ! On va reprendre le Sinaï ! On va libérer la Palestine ! On va laver l'affront !

Le Don ne pipa mot. Lui aussi était prêt à partir. Partir loin de cette terre profanée. Loin de l'Arabie des faux religieux et de leurs rituels obscènes. Prêt à tout oublier, à tout recommencer. Mais la Palestine ne serait pas libérée, l'affront ne serait pas lavé, et le souvenir de l'oasis, du prince et d'Asma le hanterait à jamais. La semaine suivante, il prétexta un deuil familial pour s'échapper du royaume.

De retour à Nawa, il mena une vie d'ascète. Il récolta quelques essaims, développa une miellerie artisanale et en fit son univers. Membre d'une communauté, certes d'insectes, mais véritablement bénis et indéniablement inspirés. Loin des fausses paroles et des autoproclamés gardiens de la foi. Mais plus si loin. Voilà leurs mots qui résonnent dans son village. Les voilà arrivés au pied de sa colline.

15.

Douda, à dos de mulet, s'arrêta à la hauteur de la case de Toumi.

— Toumi, sors de ta tanière !

Le ventre encore rond, Hadda rêvait de fraises, et elle lui avait promis que c'était là le dernier des caprices de sa grossesse. Face à ses manifestations de joie devant les rougets passés pour des dorades, et à son extase quand elle les avait dégustés grillés sur le kenoun, il avait prié le Bon Dieu pour que le reste du chemin soit prompt et facile. Mais le voici de nouveau à l'épreuve, à peine une semaine plus tard. Combien de kilos de sultans pour un kilo de fraises ?

Toumi tardait à sortir. Douda finit par descendre et poussa la porte, mais son ami n'était pas dans sa case. Seuls ses chèvres et ses poules squattaient l'intérieur insalubre. Il en fit le tour et remarqua que son mulet aussi avait disparu. *Il ne peut pas être à la source*, pensa Douda. Ils s'étaient ravitaillés en eau ensemble deux jours auparavant et ses bidons encore pleins trônaient derrière la porte.

Il passa par le café mais là encore, Toumi n'y était pas. Personne ne l'avait aperçu de la journée. Douda eut un mauvais pressentiment, et se dit qu'il repasserait plus tard.

Mais plus tard, comme le lendemain et le surlendemain, aucune trace de Toumi, et Douda s'inquiéta. Il partit à sa recherche à Walou et remua ciel et terre sans succès. Dans la mosquée, au prêche du crépuscule, le Cheik appelait encore à prendre la route de Dieu.

Son ami l'avait-il prise ? L'autre nuit, sur le chemin du retour, lors des brefs échanges que leur avait permis la fatigue, Toumi ruminait. Il semblait atteint par les mots de ce prêcheur volubile.

À la fin de la prière, il attendit le saint homme et se mit sur son passage.

— Mon Cheik, j'ai un ami qui s'appelle Toumi. Un jeune homme d'une vingtaine d'années. Est-ce qu'il est venu vous voir pour prendre la route de Dieu ?

— Il y a beaucoup de jeunes gens qui viennent me voir pour prendre la route de Dieu, sourit l'homme tout en essayant de l'écarter.

— Il fait ma taille environ, fluet, et il a les cheveux crépus.

L'homme tenta encore de l'esquiver pour aller à la rencontre de ses fidèles, mais Douda lui barra à nouveau la route.

— Mon Cheik, faites un effort ! insista-t-il. Il est parti sans un mot. C'est que je m'inquiète. Ses parents aussi.

L'homme perdit patience.

— Si votre ami a pris le chemin de Dieu, alors béni soit-il. C'est pour vous que vous devez vous inquiéter !

— Mais je fais mes prières tous les jours !

Comme si cela suffisait ! D'un geste, le religieux héla deux mastodontes à la barbe hirsute qui lui vinrent en renfort. Ils traversèrent la salle, saisirent par les épaules le trublion qui se tordait dans leurs bras comme un ver et l'expulsèrent de la mosquée sans ménagement. La nuit tombait, les hommes désertaient les rues. Douda se résigna à rentrer chez lui sans réponse. Sur le chemin de Nawa, au pied d'un olivier, il pleura son ami de toujours. Quelque chose au fond de son cœur lui disait qu'il était parti mourir loin de son jardin.

16.

Depuis qu'il avait découvert la nouvelle dégaine de ses habitants, le Don descendait au village encore moins souvent que d'habitude. La journée, il se concentrait sur ses nouvelles reines et le soir, il se demandait s'il ne lui fallait pas partir encore une fois, loin des tuniques, des barbes et des voiles.

Mais la découverte macabre de ce matin de mars relégua ses souvenirs et son mal-être au second plan. Une colonie entière dévastée, le miel dérobé en un temps record. Qu'était-il arrivé pendant son absence ? Le temps d'un aller-retour à la source n'aurait suffi à aucun prédateur connu pour perpétuer une telle œuvre destructrice.

Il avait passé la journée à examiner les environs pour au final ne relever aucun indice. Il était même redescendu à Nawa boire un café chez Louz, afin de sonder les villageois. S'ils étaient au courant grâce au petit Béchir, ils n'avaient que leur compassion à offrir. Aucune piste ni témoignage ne pouvait l'aider à résoudre le mystère.

La nuit et jusqu'au petit jour, il ressassa l'abominable scène. Trente mille abeilles lacérées au pied de leur ruche. Un massacre massif et chirurgical à la fois, qui l'avait sidéré.

À qui donc la mort avait-elle octroyé autant de pouvoirs ?

Ses provisions d'eau étant suffisantes pour la semaine, il décida de monter la garde et de ne pas quitter ses ruches des yeux. Si cette foudre maléfique devait de nouveau s'abattre, il serait présent pour la parer.

Il surveilla ses colonies de près, multipliant les rondes de jour comme de nuit. Seul et alerte, mais sans aucune idée de la nature du danger qui le guettait.

Quelquefois, terrassé par la fatigue, il s'assoupissait sur sa chaise, mais son sommeil n'avait rien de reposant tant il cauchemardait : des hommes d'une extraordinaire pilosité, munis de ciseaux, attaquaient les citadelles de ses filles. Ces dernières se ruaient sur eux mais se faisaient découper au vol. Celles qui se faufilaient échouaient à piquer leurs adversaires : les dards restaient coincés dans les boucliers de poils.

Elles étaient démunies face à eux, et eux ne laissaient pas de survivantes. Pire, ils mangeaient les larves dans les cellules et buvaient le miel dans ses opercules !

Le Don se réveillait en sursaut, nageant dans la sueur froide de l'angoisse, et courait aussitôt dans son champ, lampe à pétrole à la main, inspectant ses ruches une par une. Pas d'hommes d'extrême pilosité en vue. Pas encore. Mais il n'était pas rassuré. Il redoutait le calme avant la tempête.

Un soir, irrité par ses nuits blanches à répétition, il se plaignit auprès de Staka :

— Une semaine à faire le guet et toujours rien à signaler. Cette affaire va m'épuiser les nerfs.

Son âne compatissait sans perdre son flegme.

— Le mal qui frappe en plein jour n'a pas besoin de la nuit pour sévir de nouveau, semblait-il lui suggérer, avant de clore ses paupières et de laisser le Don à ses angoisses.

Le Don observa sa quiétude et acquiesça :

— Tu as raison. Ce fléau est diurne. Il vaut mieux que je dorme aussi avant de perdre la tête !

Il s'abandonna aux bras de Morphée et se réveilla requinqué.

Son intuition s'avéra juste car ce matin-là ne ressemblait à aucun autre. Pourtant, la journée avait démarré comme d'habitude : les butineuses oscillaient entre les ruches et le maquis où elles s'enivraient de marrube, de myrte et d'acacia.

Le battement de leurs ailes montait au ciel en une prière collective qui rendait grâce à Dieu. Mais un bruit vint perturber cette prière, un bruit qu'il ne peina pas à discerner.

Dès qu'elles le détectèrent à leur tour, ses filles modifièrent leur comportement. Les ouvrières rentrèrent à la hâte et les faux bourdons commencèrent de s'agglutiner sur les planches d'envol. Les abeilles vibraient les unes contre les autres et se transmettaient le message. Les colonies étaient en alerte et il l'était tout autant.

C'était un vrombissement lourd et singulier, inconnu à son oreille.

Le Don suivit le bruit en scrutant l'espace et là, il le vit clairement entre les branches : un insecte ailé, suffisamment gros pour être visible et audible à une centaine de mètres, mais à cette distance, il ne le reconnut ni à l'allure ni au son qu'émettait son vol.

Il approchait.

Les ruches devenaient aphones, maintenant qu'il était à une trentaine de mètres. Le Don commençait à le distinguer. Il fut pris de doute. Était-ce un frelon ? se demanda-t-il. Si c'en était un, c'était la première fois de sa vie qu'il en observait de cette taille.

L'insecte se posa sur une ruche et le Don, qui ne le lâchait pas du regard, accourut. C'en était bien un, mais aux couleurs atypiques et aux proportions gigantesques. Contrairement aux frelons communs aux environs, de jaune et de noir striés, celui-là était presque totalement noir. Seuls une tache orange entre ses yeux et des anneaux de la même couleur fuselant son abdomen perturbaient son habit funèbre. Ses pattes étaient velues et son dos recouvert d'une épaisse couche de duvet. Et, alors qu'une abeille était aussi petite qu'une phalange, l'étrange visiteur avait la taille d'un doigt.

— Qui es-tu ? le questionna le Don.

Il savait bien que l'insecte n'allait pas lui livrer le secret de son identité. D'ailleurs, il ne lui prêta pas attention, pas plus qu'aux faux bourdons prêts à le charger. Il se pavanait le long des parois, faisant vibrer son abdomen, découvrant le territoire. Si le Don se gardait de le toucher, ce n'était pas par peur de sa taille extrême ni de son invraisemblable dard menaçant. Il le soupçonnait d'être impliqué dans le récent massacre mais ne savait pas de quelle manière. Il se contentait d'analyser ses déplacements quand son nez flaira dans l'air la trace d'une odeur nouvelle, aigre. Puis le frelon s'envola, et le Don le regarda disparaître dans la nature.

Les faux bourdons reculèrent d'un cran et les butineuses pointèrent dehors le bout de leurs antennes. Les ouvrières se réactivèrent et tout rentra dans l'ordre après le léger chaos. Mais le Don craignait le pire. La danse du frelon et l'odeur qu'il avait larguée ne présageaient rien de bon.

17.

Deux heures plus tard, le Don les entendit. Ses filles aussi.

Le bourdonnement était d'une folle intensité et imposait le silence dans les alentours, tel un son de clairon qui annoncerait la guerre.

La cavalerie sortit du bois. Cette fois, le Don n'eut pas à plisser les yeux et à chercher dans l'espace l'origine des fausses notes. Une horde de frelons géants jaillissait d'entre les arbres, velus, de noir vêtus, affichant en plein jour leurs intentions assassines. Il en dénombra une vingtaine. Il n'y avait plus de doute, c'étaient bien eux les coupables.

Rapidement, les colonies s'organisèrent en configuration de défense. Les reines regagnèrent les quartiers sacrés, les butineuses et les ouvrières se mirent à l'abri, les faux bourdons se postèrent en nombre sur les planches d'envol et certains d'entre eux volèrent devant les ruches, formant un premier bouclier. Mais le nuage de frelons prit la direction d'une ruche en particulier. Celle sur laquelle le premier frelon avait exécuté sa danse solitaire et libéré ses odeurs.

Le Don se précipita vers sa cabane. Il avait reconnu la stratégie des pillards. Le premier frelon n'était qu'un éclaireur. Il avait quitté son nid à la recherche d'une citadelle à piller. Il en avait déniché une et l'avait marquée de ses phéromones. Ainsi avait-il pu la retrouver, entraînant une horde de ses semblables afin de saccager, tuer, voler avant de repartir dans le maquis.

Cette fois, il n'en était pas question ! se révolta-t-il. Devant la case, Staka était agité et brayait à pleins poumons. Les aïeux disent que l'âne brait quand apparaît le diable, et son maître était d'accord.

— Tu les as vus, toi aussi ?

À l'intérieur, le Don sortit de ses maigres affaires un bocal et sa vieille combinaison d'apiculteur héritée du paternel. En osmose avec ses filles, il ne l'avait pas portée depuis des décennies. Elles le reconnaissaient et ne se défendaient pas quand il levait le toit de leur maison pour une raison ou une autre. Mais là, il ne pouvait pas se risquer à affronter ces insectes gigantesques sans précautions. De plus, un frelon pique à souhait, contrairement à une abeille qui, dès qu'elle pique, perd son dard et la vie. Si cette escadrille venait à s'en prendre à lui, sans sa combinaison, il serait foutu.

Il y retourna en courant. L'attaque était imminente.

Les frelons géants étaient en vol stationnaire face à la ruche marquée. Vu leur faible nombre, elle paraissait imprenable. En effet, une armée de petits soldats étaient agglutinés à son entrée, tous parcourus par les mêmes vagues vibratoires et bourdonnantes, comme s'ils s'exhortaient à la bataille. Au-dessus d'elle, le nuage de faux bourdons saturait l'espace pour leur barrer l'accès. Eux, pour qui souvent la vie se réduisait à féconder la reine, allaient enfin s'illustrer à l'occasion d'un véritable affrontement.

Mais les assaillants ne semblaient pas craindre ces manœuvres d'intimidation. Ils étaient sûrs de leur supériorité dans l'art barbare de la guerre et savaient que face à eux, ce peuple ne faisait pas le poids. Après quelques minutes d'observation, les frelons passèrent subitement à l'offensive. Ils fusèrent sur les faux bourdons telles des mouettes au-dessus d'un banc de sardines, les pourchassant un à un. Après les avoir bloqués entre leurs pattes velues, ils les découpaient à coups de mâchoires, ou les transperçaient à coups de dard. Le pilonnage était constant et à très haute fréquence. Les corps s'accumulaient à une incroyable vitesse, entiers ou en lambeaux, et commençaient à former un petit tas au pied de la citadelle. La plupart des guerriers mouraient *ex abrupto* et chutaient aussi inertes que des feuilles d'automne. Les autres, gravement blessés, tourbillonnaient dans l'air avant d'agoniser parmi les cadavres.

Trois mille faux bourdons tombèrent à la gloire de la colonie. Il fallut tout juste une demi-heure aux frelons géants pour anéantir le premier bouclier.

Ils se rapprochèrent de la planche d'envol, unique accès intérieur, et amorcèrent les manœuvres d'atterrissage. Les abeilles n'osaient plus voler. Elles étaient postées à l'entrée, inquiètes et nerveuses, vibrant en masse, formant un amas hésitant et désintégré, dans l'attente du corps à corps au sol.

Les pattes velues touchèrent les parois de la ruche et l'escadrille de la mort encercla l'ouverture. D'un pas lent et sûr, ses membres avancèrent ensemble, tache orange sur leur front, précédés dans leur progression par leurs immenses antennes qui les mettaient sur la piste du trésor. À peine étaient-ils arrivés au bord de la trappe, où grelottaient des filles prêtes au sacrifice, que la mécanique macabre se remit en route. Ne craignant pas leur surnombre ni leur amas désagrégé, ils fondirent sur elles, portant des assauts brutaux et fatals.

Les abeilles débordaient de la trappe et tentaient de bloquer l'accès aux pillards, mais elles étaient démunies face aux infatigables et terrifiantes mandibules, dans lesquelles elles se jetaient à tour de rôle. Happées par les offensives célères, elles se faisaient harponner et promptement déchiqueter par leurs impitoyables prédateurs. Leurs minuscules dards et petites morsures se heurtaient à des poils drus et à des carapaces cuirassées. Et même si à quelques reprises, elles tentèrent d'attaquer simultanément, se mettant à deux ou à trois sur un frelon, ce dernier ne sembla pas plus échaudé. Profitant de sa taille et de sa puissance, il déjoua facilement les plans de ses adversaires. Il repoussa de ses pattes celle qui visait son abdomen tout en lui assénant un coup de dard, accueillit dans son énorme margoulette celle qui arrivait de face, et se tordit pour envoyer au loin celle qui s'en prenait à ses ailes.

Au bout de quelques minutes, l'escadron des frelons noirs décima un millier d'ouvrières et de butineuses. Le barrage qu'elles avaient construit de leurs corps pour protéger les quartiers sacrés se fissurait de toute part sous le pilonnage incessant. Bientôt la planche d'envol céderait et la colonie tomberait.

Pendant tout ce temps, la tête dans son casque, le Don observait la scène en silence. Son esprit était concentré, son âme dévastée. C'était le moment d'intervenir.

— C'est donc comme ça que vous vous y êtes pris. Mais cette fois, vous n'irez pas jusqu'au bout, dit-il.

Il s'agenouilla pour être à la hauteur de la trappe, comme s'il allait se livrer à une prière, et écrasa le premier frelon qui était en train de découper les entrailles d'une de ses filles. Le Don sentit sa dure carapace céder sous l'impact de son poing au prix d'une grande force. Son dard sortit de son abdomen comme une lance, et accrocha son gant. Ses mâchoires restaient actives et claquaient encore quand il le jeta, mort, par terre.

Dans leur frénésie meurtrière, les autres frelons n'arrêtaient pas leurs assauts. Ainsi, il put en tuer cinq de plus, avant qu'ils ne s'aperçoivent de sa contrariante présence. Sur-le-champ, ils

116

changèrent de stratégie. Ils décollèrent de la planche et prirent pour cible le Don.

Le Don savait qu'il était inutile de fuir : les agresseurs le pourchasseraient. Même s'il les menaçait par de grands gestes, en tuant encore quelques-uns au passage, ils ne battraient pas en retraite. Il lui fallait les anéantir jusqu'au dernier, car il était dans leur instinct d'exterminer tout ce qui se mettait entre eux et leur butin, même au prix de leurs vies.

La bataille faisait rage. Les frelons le harcelaient et le chargeaient de tous les côtés. Certains cherchaient à se faufiler dans les plis de sa combinaison pour atteindre sa chair, d'autres se cognaient violemment contre son casque et il vit de près leurs yeux rouges, comme injectés de sang. Leurs dards traversaient les mailles de sa tenue et la voilure de son casque, le manquant de peu. Mais le Don était toujours d'une incroyable dextérité. Il était le fils de la montagne et de la campagne, rompu à ses bêtes et ses insectes. Son esprit et ses gestes étaient encore vifs, préservés du poids des années par le nectar de ses filles. Elles veillaient sur lui comme lui veillait sur elles.

Grâce à une chorégraphie étonnante faite de fines esquives, de puissantes tapes et de quelques pas de danse, il écrasa un par un entre ses gants les envahisseurs furibonds et enferma le dernier vivant dans le bocal. Puis il s'empressa de nettoyer le champ de bataille et d'enterrer les milliers de cadavres qui gisaient au sol. Il frotta les parois de la ruche avec un torchon imbibé d'eau de jasmin pour en chasser les odeurs funestes. Il ouvrit le toit et la lumière inonda l'intérieur de la citadelle. Les cadrans de miel brillaient telles des plaquettes d'or. Le couvain était chaud comme un ventre maternel où s'épanouissaient les larves, inconscientes de la bataille qui venait d'être livrée. La reine était toujours réfugiée dans ses quartiers, entourée d'abeilles traumatisées, totalement désorientées. Mais il ne faudrait pas longtemps avant que la vie et l'inspiration ne reprissent le dessus sur la peur et la terreur. La reine finirait par sortir et diffuser ses senteurs pour réconforter son royaume, les ouvrières se remettraient à l'œuvre et les butineuses retrouveraient le chemin de l'envol.

18.

Le Don posa sa tête devant le bocal.

Depuis qu'il l'avait enfermé, le frelon noir volait sans relâche, cognant corps et dard contre les parois de verre.

— Quelle agressivité ! s'étonna-t-il.

Même s'il tenait les responsables, il ignorait tout d'eux.

Il avait observé leurs corps aux proportions démesurées, leur technique de reconnaissance et leur plan d'attaque. Rien de cela ne lui était familier.

Il connaissait du pays sa faune et sa flore, et pourtant il n'avait jamais vu cette espèce auparavant. Des frelons de cette taille ne pouvaient pas s'être embusqués toutes ces années durant, et en éleveur de reines, il savait que l'évolution était un processus lent et tortueux. La nature ne pouvait accoucher d'un tel monstre du jour au lendemain. Ce frelon venait sans doute d'ailleurs. Il avait voyagé.

Le Don avait été tout aussi attentif au comportement de ses abeilles envers les agresseurs, et il avait vite compris qu'elles étaient totalement vulnérables face à ce fléau inédit.

Il se remémora la scène du saccage et la bravoure des faux bourdons.

En temps normal, les faux bourdons sont d'une utilité ponctuelle pour la ruche. Ils ont pour mission essentielle de féconder la reine lors de son vol nuptial, et aussitôt la souveraine satisfaite, les ouvrières les chassent du royaume sans ménagement, les laissant périr de froid et de faim. Triste destin, pensait-il souvent, quand il ramassait leurs cadavres à la fin de l'été.

En revanche, de leur vivant, les faux bourdons constituaient la première ligne de défense de la citadelle en cas d'agression.

Les nouvelles reines qu'il avait introduites étant fécondées, il savait que les ouvrières songeaient déjà à mettre les faux bourdons dehors. Quelque part, ils étaient déjà condamnés.

En les laissant affronter les frelons, il leur avait offert l'occasion de s'illustrer sur le champ d'honneur sans mettre en péril la survie de sa colonie, et s'était offert au passage l'opportunité de constater de ses yeux la nature et les agissements de ces insectes barbares.

Mais contre les frelons noirs, les faux bourdons étaient désarmés.

Il voulait aussi voir la réaction des abeilles face aux attaques. Elles étaient affolées, et pourtant, elles ne reculaient pas. Leurs ripostes désespérées, individuelles ou un brin collectives, n'avaient eu aucun effet. Elles ne savaient pas se défendre face à ces monstres, avait-il constaté, avant de mettre fin au massacre.

— D'où viens-tu ? Comment es-tu arrivé jusqu'ici ? murmura-t-il au frelon qui s'agitait dans le bocal.

La journée s'était terminée sans nouveau heurt, et à voir le soir s'annoncer et ses filles regagner leurs ruches comme d'habitude, il se sentit rassuré. Les frelons étaient bien des insectes diurnes, et au moins jusqu'au lendemain, il aurait droit à une trêve. Il lui fallait mettre ce temps à son avantage. Il lui fallait réfléchir. Il employa son esprit en faisant les mille pas dans sa case, tantôt se grattant la tête, tantôt tirant sur sa moustache, tournant en rond comme le frelon dans le bocal, se heurtant aux parois invisibles de l'ignorance, jusqu'à s'écrouler de fatigue à côté de son hôte increvable ;

ce dernier cherchait toujours à transpercer le piège vitreux.

— Tu as envie de retrouver les tiens, n'est-ce pas ? le questionna-t-il.

À ces propres mots, l'image des siens, les Nawis, affublés de leurs nouveaux accoutrements, lui sauta à l'esprit et il eut un éclair. Ce frelon n'était pas le fruit d'une évolution opérée par la nature, il était le signe d'une nature détraquée par des hommes inconscients.

Ce déséquilibre dans l'écosystème porte l'empreinte de mes semblables, conclut le Don.

Il enveloppa le bocal dans un bout de tissu, le mit sous son bras et détacha son âne.

— Allons-y vite, Staka.

L'âne galopa jusqu'à la place du village, où les paysans tuaient le temps à coups de scopa et de narguilé. Comme la dernière fois, sa présence suscita l'engouement et sa mine l'inquiétude.

— Viens t'asseoir ! dit l'un.

— Tout va bien ? demanda l'autre.

Le voir dans sa tenue blanche était pour eux une première. Pris par le tourbillon de la journée, il avait oublié de se changer et n'avait retiré de sa combinaison que le casque. Sa mine éprouvée portait les stigmates de ses récentes nuits d'insomnie et de la glorieuse bataille livrée quelques heures plus tôt.

— Louz, pourquoi tu traînes, un café turc, s'il te plaît ! dit-il.

Le serveur employa sa voix chantante :

— Avec une pointe d'eau de rose, tout de suite, je le coule de mes yeux. Mais tu ne racontes rien avant que j'arrive.

Les hommes se rassemblèrent autour du Don pour prendre de ses nouvelles. Quand ils furent tous regroupés, il sortit le bocal et l'exhiba sur la table. Devant l'insecte gigantesque, ses mandibules qui claquaient comme des faucheuses et son agressivité qui débordait de sa prison de verre, les paysans firent un pas en arrière.

— Bonté divine !

— Qu'est-ce que c'est que ce machin !

— J'ai capturé cette créature dans mon champ ce matin, et je voulais savoir si j'étais le premier à en voir dans le village.

— Tu en as déjà vu, toi ? demanda un villageois à un autre.

— Non !

— Et toi ?

— Et toi ?

— Et toi ?

Les têtes gondolaient, les lèvres se renversaient... Personne n'avait croisé pareille bête auparavant. La foule renvoyait un brouhaha de « non », avant d'être coupée net.

— Moi, j'en ai déjà vu !

Les regards se tournèrent vers la voix qui venait du fond. C'était Douda. Il avait une tête déconfite et les cernes sillonnaient ses joues. Depuis quelques jours, il ruminait la disparition de Toumi, mais la vue du frelon géant l'arracha à ses pensées.

Cinq mois auparavant, à la grande messe officiée par les barbus, Douda était celui qui avait ramassé le plus d'affaires. Survolté par la grossesse de sa femme, il avait fait de nombreux allers-retours et rentrait chaque fois chargé comme un dromadaire. Au moment du déballage, alors qu'il ouvrait une caisse contenant des couvertures :

— La caisse devait faire cette taille, dit-il en mimant un volume d'un mètre cube environ. Elle n'était pas complètement remplie. Il y avait quelque chose d'autre. Une sphère en carton accrochée à un coin.

— Une sphère en carton ?

Douda avala sa salive et reprit :

— Oui, aussi grosse qu'un melon. À peine je l'ai secouée pour voir ce que c'était, qu'il en sortit une dizaine d'insectes comme celui-là. J'étais surpris au point de tomber à la renverse mais ils ne m'ont pas attaqué. Ils se sont tout de suite échappés par la fenêtre.

— Tu as toujours la caisse ?

— Oui, derrière ma case.

Douda guida le Don et le village suivit leur sillage. À la faveur d'une lampe à pétrole, le Don examina le carton puis le ballon de la taille d'un petit melon. Il était fait d'un étrange matériau, sorte de papier renforcé, ses parois étaient irrégulières, solides et complètement opaques. Il y avait un trou.

Sous les yeux curieux, il le coupa en deux. Ce qu'il y vit lui glaça le sang. L'espace était entièrement occupé par des rayons de cellules sombres à géométrie hexagonale. À l'intérieur de ces cellules se trouvaient des larves mortes et quelques autres cadavres de frelons noirs desséchés mais non moins effrayants. Cette nécropole était un nid, un essaim de frelons noirs...

Ils étaient là.

19.

Alors qu'il remontait vers sa cabane, le Don était plongé dans ses pensées. Il rassemblait les éléments, situait les faits, laissant à son imagination intuitive le soin de combler les vides.

Staka avançait lentement, comme s'il accompagnait la profonde réflexion de son maître.

L'histoire avait dû commencer dans un entrepôt, dans un autre pays, voire même sur un autre continent. Une reine de frelons noirs, sentant la chaleur du bois, s'était posée dans une caisse de marchandises et y avait fait son nid. Mauvaise pioche. À peine l'avait-elle terminé et avait-elle pondu ses premiers œufs que la caisse fut déplacée et emballée pour un long voyage, probablement au fond d'un container, dans la cale d'un avion ou d'un bateau, avec d'autres caisses et d'autres cartons. La cargaison parcourut des kilomètres jusqu'à arriver aux mains des barbus qui la distribuèrent généreusement à Nawa, filant au malheureux Douda la boîte de Pandore. La reine et les quelques membres de sa fragile cour qui avaient survécu au périple attendaient le moment pour s'échapper de leur piège étouffant. Alors, quand Douda ouvrit la caisse et secoua le nid, ils se firent la malle et s'évanouirent dans la nature. Le climat doux de la région leur était favorable. La reine essaima à nouveau et son nid réussit à passer l'hiver.

D'où les barbus tenaient-ils leurs marchandises ?

Il avait inspecté la caisse sous tous les angles, et les autres caisses aussi, à la recherche d'indices, mais il n'y avait aucune inscription. Les vêtements et les couvertures ne portaient pas d'étiquettes.

Comment aurait-il pu savoir ?

Savoir que l'entrepôt qu'il imaginait était celui d'une usine située dans la province de Shaanxi, au centre de la Chine, territoire des frelons géants, et que les ouvriers de tout âge qu'on y exploitait confectionnaient le textile nuit et jour sous toutes ses formes.

Savoir que cette marchandise était une commande du prince héritier du royaume du Qafar, et que le container des frelons avait voyagé dans la cale de son yacht.

Savoir que quelques mois plus tôt, le Cheik, chef du Parti de Dieu, avait déroulé un tapis rouge sur le port de Sidi Bou à ce même prince, chargé d'argent et de frelons, pour faire élire son parti à la tête du pays.

Encore une fois, l'homme en quête de territoires distribua à ses semblables la peste dans les plis de ses offrandes.

Arrivé chez lui, le Don posa le bocal sur la table, s'assit sur un coin de son lit et se déchaussa. Le frelon aussi semblait exténué, et même s'il claquait toujours des mandibules, il ne volait plus et se contentait de ramper le long des parois de verre. Il ôta sa tenue blanche et la rangea avec son casque mais ne put ôter de sa tête les flash-back de la bataille. La horde l'avait identifié, cerné en nuage et attaqué de concert et avec acharnement. Même s'ils n'étaient que vingt, la violence de leur charge avait été telle qu'il aurait pu se faire piquer une bonne centaine de fois en quelques minutes à peine.

Que serait-il advenu de lui s'il ne s'était protégé de sa combinaison avant de les affronter ? Il serait sans doute mort.

Avant de souffler la mèche de sa lampe et de se coucher, le Don réexamina son nouvel adversaire et ne put s'empêcher d'admirer la perfection et la beauté de sa mécanique, tout en souffrant de devoir l'affronter dans une guerre sans merci.

— Gloire à Dieu ! murmura-t-il. Comment faire face à une telle bête ?

Il tomba de fatigue dans le monde des songes.

— Lis !

Le Don sursauta dans son lit, réveillé par le son de sa propre voix. Ce mot résonnait encore dans sa tête, remonté par un songe où il se trouvait être le troisième d'une assemblée qui avançait entre des rangées de livres.

« Lis », le premier mot céleste, le premier commandement et la clef de toute chose. Quel autre moyen de résoudre l'énigme de ce frelon que de lire ce qui a été écrit à son sujet ? Là était le chemin. Il devrait se mettre en quête du savoir qui lui manquait.

Les premières lueurs de l'aube infusaient le jour dans l'obscurité mourante et mettaient fin à la trêve. Bientôt la vie redémarrerait tambour battant, et gare à celui qui gardait les yeux fermés et les membres gourds. Le Don s'éclaircissait l'esprit à mesure qu'il s'étirait dans son lit. Il se lava, fit sa prière et remercia Dieu pour son inspiration car même si ce mot ne lui révélait aucun mystère, il le mettait sur la voie.

Si fréquenter les hommes pouvait faire douter de Dieu et de la finalité de Ses desseins, fréquenter les abeilles conduisait le Don à bien d'autres conclusions. Il flottait avec elles dans un monde de pétales et de pollen, d'extase et de travail, et jouissait avec elles d'une existence conjuguée par les éléments, rythmée par les saisons, ornée de récompenses. Il vénérait le Dieu de ses abeilles que beaucoup d'humains ignoraient. Il admirait la beauté et la précision de Son œuvre de la façon la plus concrète qui fût, et s'était fait une place dans une roue millénaire mue par l'inspiration divine. Mais la voilà mise en péril par l'ambition des hommes. Cette fois, il était déterminé à protéger ce qui lui était cher.

La lumière inondait les vallées et la montagne écrasait l'horizon de sa splendeur. Le Don était déjà à l'affût, parcourant ses colonies, se préparant à un éventuel affrontement. De temps à autre, il scrutait le relief d'un œil circonspect. Il était presque certain que les ogres s'abritaient dans le maquis. Dans les environs, il n'y avait pas de meilleure base. La steppe était inhospitalière et s'ils s'étaient trouvés dans les collines toutes proches, il les aurait débusqués depuis belle lurette.

Il était tiraillé car s'il se devait de lire pour apprendre, il n'y avait malheureusement aucun livre ni à Nawa ni à Walou, hormis les exemplaires du Livre saint dans les mosquées, et les manuels scolaires dans les cartables flingués des enfants. Dans la contrée, il était plus probable de croiser un mouton à cinq pattes ou un serpent à sept têtes qu'une bibliothèque municipale ou une librairie qui, de surcroît, aurait dans ses rayons des œuvres encyclopédiques. Il lui fallait se rendre à la capitale pour espérer une réponse et cela impliquait qu'entre-temps, il abandonnerait ses filles. Elles seraient seules, livrées à elles-mêmes, à la merci d'une nouvelle attaque. C'était inconcevable.

Mais c'était sans compter sur la miséricorde de Dieu. Au beau milieu de la matinée, alors qu'il montait la garde, s'attendant au pire, une dizaine de silhouettes lui apparurent en contre-jour. Il les distingua une par une alors qu'elles remontaient sa colline et se dirigeaient vers lui. Des hommes et des femmes, tous de son village, débarrassés de leurs déguisements, portant leurs anciens vêtements, Douja à leur tête. Arrivée à sa hauteur, elle lâcha en larmes tous les mots qu'elle avait sur le cœur.

— Je sais que ce sont tes filles mais ce sont aussi les miennes ! Dieu seul sait à quel point j'ai eu mal pour elles. Et dire qu'on s'est rués sur ces maudites caisses ! On ne va pas te laisser affronter ces bestioles tout seul, tu as vu dans quel état tu étais hier ! Si les frelons reviennent, on les chassera avec toi !

LA BUREAUCRATIE

20.

Le Don n'avait pas pour habitude de sous-traiter ses affaires et encore moins de réclamer de l'aide ou d'en recevoir, préférant réduire ses interactions avec ses semblables au strict nécessaire. Mais il fallait se rendre à l'évidence et saisir cette main nawie animée de nobles intentions. Il ne pouvait s'en sortir sans eux, et eux sans lui. Les frelons étaient l'affaire de tous. Si cette espèce proliférait, les prochaines générations d'abeilles lui serviraient de nourriture. Le goût du miel ne serait plus qu'un souvenir qu'ils tairaient aux enfants, honteux de n'avoir pas su préserver pour eux les merveilles de ce monde.

— Allons Douja, sèche tes larmes ! Vous ne pouvez pas mieux tomber, j'ai besoin de votre aide.

Puis il expliqua sa stratégie à la petite troupe. Avant tout, se couvrir ! Pas un morceau de peau visible ! Car si ses abeilles étaient douces, les frelons noirs, quant à eux, étaient d'une rare violence et s'ils prenaient en chasse un homme, c'était pour que la mort les départageât. Les plus jeunes partiraient en repérage dans les collines environnantes. Et pas d'intervention avant son retour, si d'aventure le nid était découvert. Les autres garderaient les colonies de près. Un gardien par ruche, avec la consigne d'écraser sans ménagement les frelons éclaireurs. En cas d'attaque massive, tous les gardiens devaient s'unir pour défendre ensemble la ruche ciblée.

Lui, il partait en quête d'un livre.

— Va l'esprit tranquille. Je les attends de pied et de main fermes, ces bestioles ! promit Douja.

Il leur faisait confiance. Les Nawis étaient des campagnards aguerris, et face aux insectes hostiles, ils savaient faire preuve de sang-froid et de dextérité.

— Si jamais je ne rentre pas ce soir…, dit-il.

— On monte la garde jusqu'à ce que tu reviennes, le coupa-t-elle.

Il rangea le bocal et sa maigre trésorerie dans un sac de toile et mit le cap sur Walou. À la gare routière, il monta dans un taxi collectif pour la capitale. Ils étaient sept à occuper le van en comptant le conducteur. Néo-trentenaire, comme sa voiture, il avait pris soin de coller sur le pare-brise arrière des stickers où étaient inscrites prières et invocations : *Nous arriverons à destination si Dieu le veut*, *Nos vies sont entre Tes mains mon Seigneur*, et autres déclarations qui l'exonéraient d'emblée de toute responsabilité en cas d'accident, et lui accordaient même des privilèges sur la route. Ainsi il roulait tel un cascadeur et doublait à l'aveuglette les autres voitures dans un mouchoir de poche, stressant certains passagers, tirant les autres de leur sieste, aidé par le son de la radio nationale qui retentissait dans les vieux haut-parleurs. Après la révolution, l'heure était à la démocratie et au journalisme, et on découvrit ce qu'était un débat médiatique sans fin où l'on s'accuse entre politiciens de tous les maux du pays. Celui du jour était particulièrement tendu, et pour cause, il portait sur l'assassinat de maître Nazih, avocat du barreau et figure emblématique du parti de gauche. Une semaine plus tôt, l'homme avait été abattu par balles dans sa voiture, devant chez lui. Les auteurs des faits, deux individus en vespa non identifiés, étaient toujours en fuite.

— Vous l'avez tué ! s'emporta un invité de l'opposition sur le plateau radiophonique. Vous laissez prospérer la violence ! Vos imams radicaux appellent quotidiennement au meurtre dans leurs prêches ! Ils tiennent même une liste de personnes qu'ils ont anathématisées ! C'est vous qui avez assassiné le martyr Nazih !

— Ce sont des allégations graves et sans fondement, qui feront l'objet d'une plainte devant la justice pour diffamation. Le Parti de Dieu n'a aucune relation avec le fâcheux fait divers dont a été victime M. Nazih, au contraire, nous le déplorons.

Le débat gagna le taxi, qui était aussi divisé.

— Paix à son âme, dit une passagère, une grand-mère voilée.

— Comment peux-tu dire cela, rétorqua son voisin de siège, un jeune barbu accompagné de son maître. C'était un bourgeois communiste qui ne croyait pas en Dieu, bien fait pour lui !

— Qu'en sais-tu, qu'il ne croyait pas en Dieu, hein ? Tu étais dans son cœur, peut-être ? s'insurgea à l'arrière une passagère plus jeune qui ne cachait pas ses cheveux.

Le maître vola à la rescousse de son disciple :

— Pas besoin d'être dans son cœur ! Sa langue était bien pendue et il criait haut ce qu'il pensait. Il disait que la loi de Dieu ne pouvait pas régir notre société, qu'elle n'y était pas adaptée. Comment peut-on affirmer pareille hérésie ? Alors c'est quoi, croire en Dieu ? Un passe-temps ? C'était un homme d'alcool et de blasphèmes !

Au fond du van, à côté du Don, était assis un colosse à casquette au visage balafré. En les entendant, il ouvrit le sac posé à ses pieds et en sortit une bière qu'il décapsula d'un coup d'ongle. Il s'adressa aux deux religieux :

— Vous deux, rats longtemps planqués ! Venez me tuer si vous avez des couilles !

Puis il lança un « Dieu est grand » et, d'une traite, descendit sa bière, concluant par un rot invraisemblable.

— Du calme, s'il vous plaît, réclama le chauffeur. Vous pouvez vous entretuer, mais pas tout de suite. Pas dans mon van.

La capitale n'était qu'à deux heures et demie de route, et pourtant, elle semblait d'un autre monde tant sa fièvre urbaine contrastait avec la campagne dépouillée. Cela faisait longtemps que le Don n'y avait pas mis les pieds.

Le chauffeur déposa les voyageurs à la gare et chacun d'eux traça son chemin. Le Don s'enfonça dans les rues, à la recherche d'une librairie.

Dans ses lointains souvenirs, la ville était un endroit féerique. La colline du Saint dont le mausolée surplombait le paisible cimetière où les tombes blanches étaient parsemées dans l'herbe comme des carrés de sucre ; les souks de la vieille médina qui palpitaient tel un cœur animé par ses maîtres artisans ; les cafés du quartier franc en périphérie d'où remontait, tôt le matin, l'odeur de l'expresso serré et la voix chaude d'Oum Kalthoum, rythmant les coups de balayette sur le trottoir ; la gare routière, ses jardins fleuris, ses lignes de bus et de tramways longées par les kiosques à journaux et les cireurs de chaussures. C'étaient les images que conservait le Don dans sa mémoire de l'époque où, plus jeune, il venait vendre à la capitale quelques pots de son miel.

Mais la ville lui était méconnaissable, triste et crasseuse. Les gens traînaient une mine grise, comme frappés de la gueule de bois. Les places étaient encerclées de barbelés, et des blindés de l'armée, postés çà et là, rendaient le spectacle encore plus inquiétant. Des tags et des inscriptions en tout genre ornaient murs et façades :

Vive la révolution !
Liberté au peuple !
Que le royaume de Dieu advienne !

Que Dieu maudisse celui qui pisse contre ce mur ainsi que toute sa descendance !

Les poubelles débordaient et les hommes leur disputaient la place sur les trottoirs. Mais son regard, de plus en plus hagard, ne se heurtait pas seulement aux ordures. L'étrange tendance qui avait frappé son village était là, présente. Nombreux étaient les femmes bâchées de noir et les hommes en tuniques. Leur avait-on aussi distribué des caisses ? Avaient-ils voté pour le Parti de Dieu ? *Savent-ils quel danger ils encourent ?* s'inquiéta le Don. *Savent-ils pour les frelons ?*

Il se rendit à la rue des libraires, dans le sud de la ville, mais depuis sa dernière visite, la rue avait changé. Il n'y avait plus aucun libraire. Au mieux, il tomba sur des papeteries qui ne vendaient que des pages blanches et des manuels scolaires.

Il n'avait plus de repère. Il se sentit perdu et manqua de peu de se faire renverser. Griller les stops et les feux rouges étaient aussi des libertés qu'offrait la révolution au peuple.

Il s'abrita dans les ruelles piétonnes de la médina, et remonta vers l'artère principale. Même si l'artisanat se mourait en silence, la vieille ville était toujours peuplée, toujours vivante, mystérieuse. Elle recelait encore des pièces d'art et des façonniers aux mains d'or. Il tâta son chemin entre les épices et les essences de fleurs, se faufila entre les mosaïques et les margoums. Cette traversée le requinqua.

137

Il explora la large avenue et ses rues adjacentes deux heures durant, et pas un libraire en vue. Que des cafés bondés et des snacks qui ne désemplissaient pas, des stands et des étals de biens divers, du slip au smartphone. Il fit une halte chez Ibn Khaldoun, sur la place baptisée à son nom. L'homme du cru était célébré par une statue majestueuse le représentant portant un livre, symbole de son œuvre-fleuve et de son savoir que plus personne ne connaissait ou presque. Son nom était devenu un lieu de rendez-vous. Dans l'indifférence des gens qui l'esquivaient, le prenant pour un clochard, le Don le regarda avec admiration et, sans le quitter des yeux, il s'assit sur le banc qui lui faisait face, comme hypnotisé.

Pierre au bord des larmes, la statue d'Ibn Khaldoun était la seule créature des environs à tenir un livre à la main. En son temps, l'illustre sociologue, fondateur de la discipline, avait dit : « L'homme est sociable par nature. »

Le Don soupira :

— Rends-toi à l'évidence, tu as encore besoin des autres.

Les autres. Encore. Souvent l'enfer, parfois le salut.

Il se décida à aller la voir. Non qu'il considérât qu'elle avait une dette envers lui, elle qui disait tout lui devoir, mais parce que sa main était toujours tendue, prête à aider, et qu'elle avait de l'esprit, et beaucoup de livres.

Sa maison était à une dizaine de kilomètres. Il se leva et reprit sa quête.

21.

Malgré la buée sur ses lunettes, elle pêcha du premier coup le biberon de sa petite-fille dans la casserole où elle le stérilisait. En même temps, elle écoutait la radio et pensait à mille choses. À la fois mère dévouée et jeune grand-mère passionnée, elle avait de quoi s'occuper l'esprit. Mais à ses pensées naturelles s'ajoutaient des préoccupations inédites, celles d'une citoyenne. Quel avenir pour le pays ? Quel avenir pour ses enfants et ses petits-enfants dans cette nouvelle donne ?

Le Premier ministre parlait à la radio et tentait de rassurer les auditeurs sur l'état du pays malgré les récents heurts urbains visant l'ambassade américaine et l'assassinat de l'avocat Nazih. Elle ne croyait pas un mot de sa prétendue sincérité et tenait son gouvernement pour responsable non de la misère héritée, mais de la division et de la violence inhabituelle dans le pays.

Certes, elle avait la foi au point de s'acquitter de ses prières quotidiennes et de planifier un pèlerinage à La Mecque, mais elle ne voyait pas d'un bon œil l'ascension au pouvoir du Parti de Dieu. Au contraire, ses légions et ses discours lui donnaient froid dans le dos. Elle avait l'impression qu'ils vénéraient un Dieu de haine et de châtiments, alors que le sien n'était qu'amour et clémence.

Le bla-bla ministériel ne calma pas ses angoisses et elle finit par l'éteindre. Avant, sous l'ère du Beau, de nouvelles à la radio, il n'y avait pas. Toutes les chansons du répertoire étaient déjà connues. Puis vint le jour où retentit la bonne nouvelle ; ensuite, les mauvaises se succédèrent, égratignant le moral et bousculant l'espoir naissant. L'espoir d'une vie meilleure.

Comme la plupart de ses concitoyens, le jour de la révolution, elle avait été euphorique, heureuse de voir s'arrêter de son vivant la mascarade du Beau qui les insultait au quotidien. Malgré les semaines difficiles qui suivirent sa fuite, jalonnées de manifestations, de troubles et de couvre-feux, l'enthousiasme ne retomba pas. Il y avait en vue les premières élections libres de l'histoire du pays. Quelle fierté !

Mais la montagne accoucha d'une souris barbue, et le Parti de Dieu se hissa au pouvoir.

Les compétences religieuses de ses ministres ne résolurent aucun problème économique ni social, et à bien des égards, la situation empira. Le pays resta scotché dans la misère et sa jeunesse dans le chômage, alors que la violence d'une frange de radicaux et leurs discours de haine proliférèrent avec la complaisance des gouvernants. Du rêve de prospérité et de tolérance, il ne resta de la fragile démocratie que le droit illusoire de dire merde.

Elle ne disait pas de gros mots mais elle attendait les prochaines élections avec impatience. Elle avait hâte, comme beaucoup, de repasser par les urnes et de chasser du paysage cette intrusion idéologique et ses représentants. D'ici là, il fallait tenir !

La sonnerie de la porte principale l'arracha à ses pensées, et avant d'aller tirer sa petite-fille à sa sieste, elle se précipita pour ouvrir le portail au bout de son petit jardin. Là où elle s'attendait à une voisine, elle découvrit le Don.

— Quelle agréable surprise ! s'écria-t-elle en le prenant dans ses bras.

À sa vue, le Don fut soulagé. Elle était toujours la même, le visage pétri de lumière.

— Jannet ! J'ai besoin de toi.

Jannet était dans un pays de tabous et de traditions l'unique fruit d'un mariage de villageois qui se solda très tôt par un divorce. Autant dire qu'elle était orpheline, alors tout juste bébé dans son berceau. Ses parents l'abandonnèrent à son sort, et la petite survécut dans l'ombre des maisons de cousins, au gré de celui qui voulait bien s'inquiéter d'elle.

Bazardée d'une famille à une autre tout le long de son enfance, elle échappa par miracle aux maladies et aux fièvres du bas âge pour grandir dans le chagrin. Traitée en bâtarde, elle supportait sans répit corvées et réprimandes. Le soir, quand elle priait en cachette les poings serrés, il lui arrivait souvent de pleurer. Elle qui ne demandait qu'à être aimée ne trouvait que la cruauté des grands et celle des enfants qui les prenaient en exemple. Pourtant, le vilain canard se transforma en un être merveilleux, au nez et à la barbe de ceux qui avaient voulu l'ensevelir.

Elle ne se serait pas émancipée sans l'aide de cet oncle éloigné, un apiculteur qui vivait seul avec ses abeilles et qui l'avait prise en pitié. Il ne pouvait pas grand-chose pour elle, mais le peu qu'il pouvait, il l'avait fait. Avec la fermeté qui caractérise les hommes solitaires, il exigea de ses tuteurs qu'on la scolarisât comme l'impose la loi. Car si le Vieux qui prit les rênes du pays à l'indépendance avait fini fou, il ne le fut pas toute sa vie. Par moments, il avait même été capable de fulgurances.

Quand il avait sa pleine tête, il fit de la scolarisation une obligation pour tous les mômes du pays. À défaut d'un saint à qui se vouer, il leur offrit la chance d'écrire leur destin de leur main.

Les tuteurs l'inscrivirent à contrecœur et à l'école, la petite ne subit plus de misères au quotidien. L'école était son oxygène, l'endroit où elle était libre et épanouie. Dès les premières lueurs de l'aube, elle parcourait une quinzaine de kilomètres dans la steppe pour s'asseoir sur ses bancs. Elle aimait apprendre, et prêtait à ses instituteurs la plus grande attention, goûtant enfin aux joies des félicitations et des honneurs.

Par-dessus tout, elle aimait écrire car en écrivant elle se sentait exister.

Le système au mérite récompensa la brillante élève, et on lui trouva une place à l'internat du lycée de jeunes filles de Montfleury, colline du côté franc de la capitale. Elle y poursuivit ses études secondaires, et la petite crasseuse d'antan devint une superbe jeune femme qui maniait parfaitement l'arabe d'Al-Mutanabbi et le français de Baudelaire.

Elle rêvait de devenir institutrice pour sauver les enfants des chemins de la perdition.

Ce fut pour elle chose aisée.

Elle rêvait d'amour, et l'amour se présenta à elle sous les traits d'un jeune universitaire sans le sou.

Sortie victorieuse de cette épreuve de la vie, elle ne nourrissait pas de rancœur vis-à-vis de sa famille et du temps révolu. Si elle en était arrivée là, c'était aussi grâce à ces gens, y compris ses parents.

Elle se maria et eut des enfants. À sa famille et ses élèves, elle donnait tout l'amour et l'attention qui lui avaient tant manqué. Partout où elle allait, elle était sensible à chaque être qui souffrait, essayant de son mieux de lui apporter soutien et réconfort.

Des années passées entre deux temples, ouvrière et reine, d'une main des kilos de courses et de l'autre des kilos de cahiers de jeunes esprits qui ont écrit la date du jour et attendent d'être corrigés.

Combien de fois un homme ou une femme dans la force de l'âge, de fière allure, t'a interpellée dans la rue, courant pour t'embrasser :

— Madame ! J'étais votre élève quand j'étais petit !

Combien de lumières as-tu dispensées sur ta route ! Des décennies de craies et de copies, de mots et d'étoiles sur les ardoises, pour garder avec dévotion l'espoir des enfants de la galère que nous sommes.

Le Don se pencha sur le berceau où la petite dormait paisiblement et resta immobile de longues minutes. Il posa son doigt dans la paume de sa main. Instantanément, elle le serra. Il sourit.

— La nouvelle génération est là.

Jannet acquiesça de la tête.

— Elle a quel âge ?

— Quinze mois.

— Machallah ! Comment s'appelle-t-elle ?

— Farah.

Au-dessus de sa tête, il murmura des mots dont il avait le secret puis dit :

— Bénie soit-elle.

Au salon, Jannet lui servit du thé et il lui servit son histoire.

Il lui expliqua les raisons de son expédition. Lui décrivit sa découverte du massacre initial, le combat épique qu'il avait engagé contre les frelons, l'enquête villageoise qui l'avait mené jusqu'au nid originel, ses tentatives désespérées pour trouver une encyclopédie dans la capitale, et au final, sa décision de l'appeler en renfort.

Elle était complètement prise par son récit, son visage réagissant à chaque détail, et quand le Don exposa l'immense bête maintenant morte, gisant dans le bocal, elle fit un bond en arrière. Son inquiétude la contamina aussitôt.

— Je n'ai jamais vu un tel insecte non plus, ni dans la nature, ni dans un livre ! Allons consulter Tahar à l'université. Il a accès à une bibliothèque fournie. On trouvera bien une encyclopédie qui le répertorie.

Jannet demanda à sa voisine de garder sa petite-fille le temps de son absence, puis elle appela son mari pour lui annoncer leur arrivée. Ensemble, ils grimpèrent dans un taxi, direction la faculté des sciences et des lettres.

22.

Dans son bureau de doyen, Tahar les attendait, absorbé par son journal. Le premier d'un tas représentatif des différentes mouvances et sensibilités qui fleurissaient pêle-mêle.

Cela faisait des années qu'il ne lisait plus de journaux, mais la révolution avait bouleversé le pays dans son intégralité, de l'individu jusqu'à l'insecte. Au lendemain de son avènement, la liberté de parole conquise rendit à la presse ses lettres de noblesse longtemps éclipsées. Depuis, chaque matin, il s'arrêtait au kiosque.

Pendant presque trente ans, les journalistes n'actualisaient que les maigres rubriques de sport et de culture. Pour ce qui relevait de la politique, le Beau leur avait préparé, dès le début de son règne, la marmite de soupe quotidienne qu'ils allaient devoir servir au peuple.

Ainsi, les premières pages lui étaient toujours entièrement consacrées. On pouvait lire qu'il avait présidé tel ou tel conseil de ministres, qu'il s'était fait décorer de telle université en France ou au Canada, et que sous sa bienveillance, le ramadan commencerait tel ou tel jour. Et entre les lignes, le néant.

Plus loin, les journalistes sportifs s'enflammaient pour un piètre championnat de football devenu opium et leurs collègues de la culture, confrontés à une production médiocre, s'essoraient le crâne pour meubler leurs chroniques, prenant même quelques risques. « Hollywood prépare un péplum sur Hannibal, notre héros carthaginois », écrivait fièrement l'un d'entre eux. Alors qu'en réalité, le biopic en question était celui d'Hannibal Lecter, psychopathe jusqu'au cannibalisme.

Quand il y avait un article scientifique, il fallait s'accrocher. Ainsi avait-on appris la réussite en Californie d'un croisement inattendu entre un cow-boy et sa jument, donnant naissance au premier cheval à tête d'homme de l'histoire moderne, et la découverte par des paléontologues d'un squelette d'une trentaine de mètres en Afrique de l'Ouest, sans doute celui d'Adam. Fait curieux, le squelette d'Ève n'était pas à côté. Les dernières pages étaient le royaume du fourre-tout. Jouxtant la photo aguicheuse d'une actrice égyptienne ou d'une chanteuse libanaise, un hadith recommandait de ne pas mater. Une flopée de voyants et de psychiatres amateurs se disputaient la vedette avec le courrier des lecteurs, des lettres et des lettres, toutes déclarant « Je n'ai rien… » « Je l'aime en silence… »

Longtemps on n'avait rien eu et longtemps on avait aimé en silence.

Puis, roulement du tambour, et comme par enchantement, le Beau disparut.

Qu'avait-on aujourd'hui ?

Quelle flamme allions-nous déclarer, maintenant qu'était tombée la loi du silence ?

Les journaux du jour essayaient de répondre à la question.

« Nous avons des dettes », écrivait un journaliste.

« Le mausolée de Lella Saïda en proie au feu », titrait un autre. « Mardi soir, deux individus ont jeté des cocktails Molotov contre le mausolée de la Sainte, avant de disparaître dans la nature », rapportait-il, rappelant qu'il ne s'agissait pas du premier acte de vandalisme du genre. « Nombreux sont les mausolées qui ont été incendiés depuis que les barbus sont au pouvoir. Faut-il y voir un lien de cause à effet ? » osait le journaliste. « Peut-on parler de barbus de la nuit, qui vandalisent, et de barbus du jour, qui gouvernent ? Y a-t-il un lien entre les deux ? » s'interrogeait-il.

— Un lien entre les deux ? Le barbu qui prêche au crépuscule, sans doute ! ironisa Tahar avec amertume.

Comment ces salauds avaient-ils osé profaner le tombeau de la Sainte qui dort en paix depuis huit siècles sur la colline de Montfleury ? Il y avait là la mémoire d'une femme remarquable, transgressive, qui s'était imposée dans une société d'hommes. D'une vertu sans faille, elle excellait dans le domaine de la théologie et des voies spirituelles, au point de supplanter les érudits de son époque, composant ses propres incantations, formant ses propres disciples dont elle dirigeait la prière collective à la mosquée.

Il pensa à sa femme. Lella Saïda était pour Jannet une grande source de réconfort et d'inspiration. Interne au lycée de jeunes filles de Montfleury, quand ses camarades rentraient chez elles pour les vacances, elle se rendait au mausolée respirer l'encens sous son modeste dôme et écouter les anciennes narrer des épisodes de la vie exceptionnelle de la Sainte. Elle participait à l'animation du lieu, accueillait les visiteurs, servait les repas de charité, entretenant ainsi sa mémoire. Partie en cendres.

Comment réagirait-elle quand elle l'apprendrait ?

Il souffla, puis regarda sa montre. Il avait envie d'écrire et il lui restait un peu de temps avant l'arrivée de Jannet et du Don.

Il griffonna.

Aujourd'hui, alors que je m'entretenais avec le vice-doyen de l'état désastreux de la faculté, deux étudiantes sont entrées dans mon bureau sans frapper. Elles portaient une burqa et des gants noirs. C'est à peine si j'apercevais leurs yeux sous la toile. Elles nous réclamaient la fin de la mixité des classes, l'aménagement d'une salle de prière et la suspension des cours le temps du rite.

J'ai échangé avec le vice-doyen un regard effaré. Nous avions en effet remarqué l'émergence au sein de l'université de cette mouvance fondamentaliste ; c'était d'ailleurs le sujet de notre discussion. La veille, un groupe d'étudiants avait enlevé le drapeau national et l'avait remplacé par le drapeau noir d'un groupuscule terroriste. Il fallait s'attendre à une telle escalade, mais s'y attendre est une chose, l'affronter en est une autre.

Nous avons répondu aux étudiantes que nous prenions en compte leurs demandes. Le vice-doyen a même fait mine de les noter sur le coin d'une feuille de papier. Mais les deux jeunes filles ont insisté pour qu'il publie immédiatement une annonce. Alors nous nous sommes montrés plus fermes, et le vice-doyen s'est levé et les a priées de sortir. Elles ont quitté le bureau dans un état d'hystérie, et se sont aussitôt jetées dans les escaliers en un grand fracas. Sous nos yeux choqués, elles se sont relevées

*tant bien que mal ; sans doute leurs corps drapés
étaient-ils sévèrement tuméfiés par pareille chute.
Puis elles nous ont menacé de porter plainte pour
coups et blessures si nous refusions de nous plier
sur-le-champ à leurs revendications. Nous avons
fermé la porte à clef.*

*L'université est en danger, comme beaucoup de
lieux où s'illumine l'esprit. Hier nous craignions
l'oubli et l'abandon, aujourd'hui nous redoutons
le feu et la destruction. Aujourd'hui, on nous a
réclamé la forme et demain on nous réclamera le
fond. Quels seront les programmes de demain ?*

*Depuis l'avènement au pouvoir du Parti de
Dieu, sous son regard indifférent et souvent
complice, des groupes de pression se sont créés.
Ils rongent en souterrain les fondements de notre
culture. Ils y greffent une mouvance inédite, sèche
et aride comme le vent du désert où elle est née, et
implantent ici et là drapeaux noirs et références
importées. Ils rejettent l'idée d'un État-nation,
souverain, s'en prennent à ses symboles et à ses
représentants. Ils prônent une utopie faite de
barbes et de voiles, de dos fouettés, de mains et
de têtes coupées. Un empire où tout homme serait
mutilé, lacéré ou amputé, car quel homme n'a
jamais fauté ?*

Les tocs légers sur la porte le sortirent de son
exercice. Il se redressa. C'était Jannet, accom-
pagnée du Don. Il embrassa sa femme et serra
la main de son hôte, puis les invita à s'asseoir.
Il connaissait vaguement le Don comme on

connaît un parent éloigné, il savait le rôle qu'il avait joué dans l'enfance de sa femme et il se souvenait bien du goût de son miel, car le vieil homme continuait de leur faire parvenir, par le biais de cousins, des pots de chaque nouvelle récolte.

Pendant que Jannet racontait toute l'histoire, le Don acquiesçait de la tête en silence. Tahar remarqua que ses traits et ses yeux portaient l'expression caractéristique des quêteurs de savoir. L'alchimie de l'humilité, de l'espoir et de la détermination. Une expression d'une rare noblesse.

— J'ai besoin de votre aide, lui dit-il en tendant le bocal.

Les yeux de Tahar s'écarquillèrent devant la bête.

— Je ferai de mon mieux.

23.

La bibliothèque de l'université perdait de sa superbe même si elle en demeurait l'un de ses derniers joyaux. La poussière recouvrait plusieurs étagères et souvent, celui qui cherchait une information avait l'impression d'exhumer un tombeau. Malgré cette atmosphère fossile et le manque de rénovation, le Don vit dans ses rayons les œuvres scintiller et il se sentit comme sous la voûte d'un ciel étoilé, édifié de mots, monté sur des colonnes d'encre et de papier. Voilà ce que l'homme avait de divin, voilà son véritable temple.

Il pressentait qu'ici, il trouverait des réponses à ses questions et il avança d'un pas lent et sûr, suivant ses guides jusqu'à l'aile des sciences de la vie.

Perché sur un escabeau, Tahar déterra une encyclopédie en plusieurs volumes qui inventoriait les insectes recensés par l'homme. Il souffla sur les couvertures et y passa plusieurs fois la main, comme pour les ramener à la vie. Sur une table, le Don posa le bocal et Tahar aligna soigneusement les tomes. Il parcourut le préambule et tomba sur l'année de la publication. 1977.

— Si cette espèce a moins de quarante ans, on doit la trouver recensée là-dedans.

— Cette espèce est aussi vieille que le monde. Ce qui est récent, c'est de la voir dans les environs de Nawa.

À son tour, le Don feuilleta un tome et se heurta dans son geste aux lettres latines qui composaient les lignes. Il le reposa. Il ne savait lire que l'arabe, sa langue maternelle, mais il comprit que ce n'était plus la monture adaptée pour arpenter les nouveaux chemins du savoir. Tahar remarqua sa déception et se confondit en excuses :

— Je suis vraiment désolé. Malheureusement, nous n'avons pas d'encyclopédie en arabe. Ni écrite, ni traduite. On cherchera pour vous.

152

Ils étaient face aux livres. L'encyclopédie était organisée par région du monde et les deux époux se répartirent le travail. Tandis que Jannet survolait l'Europe du nord au sud, Tahar fouilla l'Afrique et le pourtour méditerranéen. Et même s'ils étaient gagnés par la hâte, ils ne purent s'empêcher de s'émerveiller devant le portrait d'un papillon gracieux ou d'un bourdon disparu depuis le temps de leur enfance, expulsé du paysage par la jungle urbaine.

Des pages et des pages de photos d'insectes exposés, couronnées de leurs noms scientifiques et de détails sur léur vie sans la moindre trace de la mystérieuse bête…

Pouvait-elle avoir débarqué de plus loin ?

Ils ouvrirent les tomes de l'autre bout du monde. Tahar balaya les Amériques et Jannet parcourait l'Extrême-Asie. Alors qu'elle avançait dans son voyage, elle s'arrêta sur une page en sursautant :

— Venez voir !

Les deux hommes se précipitèrent auprès d'elle. Elle posa le livre grand ouvert sur la table. Le frelon était là, épinglé, photographié, identifié, les vers tirés du nez.

— C'est bien lui ? demanda Tahar au Don qui scrutait attentivement le cliché.

— Je crois, répondit-il, les yeux brillant d'excitation.

Encore fallait-il en avoir le cœur net.

— Lis ! lui demanda-t-il.

À voix haute, Tahar traduisait au fil des lignes. Il déclina d'abord son nom scientifique :

— « *Vespa mandarinia.* »

Puis il poursuivit :

— « Décrite pour la première fois au XIXᵉ siècle par l'entomologiste anglais Frederick Smith, la *vespa mandarinia*, ou frelon asiatique géant, est la plus grosse espèce de frelons au monde. On trouve son nid la plupart du temps dans les hautes branches. De la taille d'un ballon de basket-ball, il est fabriqué par la reine à partir d'écorce d'arbres, qui, une fois mâchée et collée, lui confère un aspect cartonneux. Solide et parfaitement opaque, seule une ouverture à l'extrémité basse y permet les allées et venues de ses habitants. »

L'image de la nécropole qu'il avait découverte chez Douda vint à l'esprit du Don. Tahar continua :

— « Adaptée aux climats tropicaux et tempérés, cette espèce occupe un large territoire qui s'étend de l'est de l'Afghanistan jusqu'au sud du Japon, couvrant l'Inde, la Birmanie et la Thaïlande. Au stade adulte, le frelon asiatique géant peut atteindre une taille de sept centimètres. Il est équipé d'un dard long d'un centimètre, à travers lequel il injecte un puissant venin. Le frelon asiatique géant est un chasseur hors pair. Ses proies de prédilection sont les abeilles, les mantes religieuses et les autres espèces d'hyménoptères sociaux tels que les guêpes et les frelons de plus petite taille. Il arrive fréquemment

154

que les frelons asiatiques géants déciment des ruches entières d'abeilles lors d'attaques groupées. Après avoir repéré et marqué une ruche de leurs phéromones, les éclaireurs, souvent solitaires, parfois au nombre de deux ou trois, retournent à leur nid chercher des complices. Les frelons géants, qui font cinq fois la taille et vingt fois le poids d'une abeille, peuvent dévaster une colonie en très peu de temps. Un seul frelon peut tuer quarante abeilles par minute grâce à ses larges mandibules. »

— *Ya Latif*[1]*!* pria Jannet.

Le Don hocha la tête à plusieurs reprises pour confirmer les descriptions et le mode opératoire reporté. Selon toute vraisemblance, il s'agissait de cette bête. Si son origine était improbable, son intrusion n'en demeurait pas moins réelle.

Tahar reprit :

— « Quand la ruche est débarrassée de toute défense, les frelons se nourrissent du miel et ramènent à leur nid les larves des abeilles pour nourrir leurs propres larves. La plupart des abeilles d'Asie ont été importées d'Europe pour la culture mellifère et elles ne sont pas dotées de défenses naturelles contre les frelons géants. Leurs ruches sont particulièrement vulnérables. Seules les abeilles japonaises, les *apis mellifera japonica*, ont réussi à développer une technique de défense efficace, appelée l'amas ardent. Référez-vous à l'annexe. »

---

1. Ô Bienveillant !

— L'amas ardent ?

— L'amas ardent, confirma Tahar.

Le Don ne perdait pas une miette du récit.

— « Chez l'homme, la piqûre d'un frelon asiatique géant provoque une douleur intense à cause du venin libéré par le dard. Plusieurs piqûres non traitées à temps peuvent entraîner des complications respiratoires, des défaillances du foie et des reins. On recense une quarantaine de morts par an conséquentes à des attaques de frelons géants. Même s'il ne s'en prend à l'homme que lorsqu'il est perturbé ou menacé, ses attaques n'en demeurent pas moins violentes et féroces, sa cible pouvant être pourchassée sur un kilomètre à une vitesse de plus quarante kilomètres par heure. » Fin de l'article.

Jannet invoquait la miséricorde du Seigneur et le Don finissait d'enregistrer toutes les informations dans sa mémoire.

— Vous pouvez lire l'annexe ? demanda-t-il.

Même si ses abeilles n'étaient pas japonaises, il était curieux de savoir.

Tahar lut :

— « L'amas ardent est une défense développée par les *apis mellifera japonica* contre les attaques de frelons géants. Quand les *japonica* détectent la présence d'un éclaireur venu marquer leur ruche, elles l'encerclent par centaines puis l'encapsulent, formant de leur corps une boule dont il est le noyau. Elles vibrent alors collectivement, ailes contre ailes, et font grimper la température de la boule à quarante-cinq degrés Celsius.

Cette température est fatale au frelon géant. Au bout de quelques minutes, il meurt rôti au centre de l'amas ardent. Les abeilles quant à elles survivent jusqu'à quarante-huit degrés. Ces trois degrés de différence sont tout l'avantage qu'elles ont sur leurs agresseurs. Seules les *japonica*, rompues à ce frelon, les exploitent pour se défendre. Une fois le frelon grillé, les abeilles reprennent leur aspect distinct, nettoient les tags de phéromones et se remettent au travail. »

Tahar leva une tête fascinée. L'annexe comportait des photos en couleur et des clichés en infrarouge qui illustraient l'amas ardent tout au long de son exécution, et le frelon rôti qui en résultait !

— *Sobhanou*[1]! s'exclama Jannet.

Le Don était songeur. Quelle merveille de la nature que cet amas ardent. Voilà ce qui lui manquait de la science, révélé à des abeilles. Après toutes ces décennies d'apiculture, son apprentissage n'était pas encore achevé, ses filles ne lui avaient pas encore livré tous leurs secrets.

24.

À la sortie de la bibliothèque, le Don se baissa pour leur embrasser les mains en signe de

---

1. Gloire à Dieu !

gratitude. Ils s'étaient empressés de le redresser et d'inverser les rôles. Son ignorance était aussi la leur. Sans lui, ils n'auraient jamais su.

Dehors, le soleil se mourait, les ombres se jetaient plus nombreuses que les vivants. Depuis quelque temps, les routes de campagne étaient devenues dangereuses et les conducteurs ne s'y aventuraient plus de nuit. Pour Jannet, il était hors de question que le Don rentrât à Nawa le soir même.

— Tu restes dormir chez nous, la nuit porte conseil.

Elle était déterminée à ne pas le laisser seul face à ces bêtes.

Ils habitaient au sud de la capitale, dans sa banlieue populaire. Quand ils avaient acheté un bout de terrain et y avaient construit leur maison, vignes et oliviers s'étendaient jusqu'à l'horizon. Mais des décennies durant, la banlieue s'était développée sans plan d'urbanisation précis, venant à bout de la faune et de la flore, laissant aux habitants les joies des mouches et des moustiques qui festoyaient dans leurs poubelles.

Toutefois, ils préféraient de loin leur maison à un hôtel particulier qui donne sur la tour Eiffel. Chaque pierre qui la composait était encore imbibée de leur sueur.

Jannet servit un dîner léger car après la découverte de l'après-midi, personne n'avait vraiment d'appétit. Ils étaient attablés, préoccupés, conscients d'affronter un ennemi redoutable qui avait proliféré au point de bouleverser leur quotidien.

— Éradiquer cette espèce ne sera pas une mince affaire, elle s'est déjà établie, réfléchit le Don à voix haute.

— Alertons les pouvoirs publics, suggéra Tahar sans grande conviction.

— Ceux-là mêmes qui n'arrivent pas à lutter contre les moustiques ? ironisa Jannet. Il faudra le faire, je suis d'accord, mais se dire que cela va changer quelque chose...

Ils finirent par se taire.

Le Don se rembobinait les informations de l'encyclopédie. Un frelon géant tuait jusqu'à quarante abeilles par minute. Avait-il une chance de sauver ses filles ? N'était-ce qu'une question de temps avant de les voir massacrer jusqu'à la dernière ?

Tahar et Jannet, tête basse, regardaient les légumes dans leurs assiettes. Et si soudain, il n'y en avait plus ? L'équation était si simple que sa simplicité la rendait irréaliste et presque inaccessible. Plus d'abeilles, plus de pollinisation. Plus de pollinisation, plus de récoltes. Plus de récoltes, bonjour famine. Déjà qu'il n'y en avait pas assez dans les ventres.

Jannet brisa le silence :

— Nos abeilles ne savent pas faire ce truc ardent ?

Le Don répondit par la négative. Après un temps d'arrêt, il ajouta :

— Mais elles peuvent apprendre.

— Comment ça ?

Il étaya :

— À force de fréquenter des parasites, les abeilles développent différentes techniques de défense. On appelle ces techniques le comportement hygiénique. Aux prises avec un nouveau parasite qu'elle n'a jamais côtoyé, une ruche peut être vulnérable. Mais en y introduisant des reines extérieures, coutumières de ses méfaits, rompues à l'exercice de défense, l'apiculteur assure la transmission du comportement hygiénique approprié aux nouvelles générations d'abeilles.

— C'est de la transmission génétique ! comprit Jannet.

— Vous voulez dire qu'avec des reines japonaises, vous seriez en mesure d'élever des générations d'abeilles capables d'amas ardent ? demanda Tahar.

Le Don confirma de la tête.

Après le dîner, Tahar prépara la couchette de son hôte et redescendit au salon. Il s'accroupit devant la geisha japonaise, ce présent qui vivait chez lui depuis de nombreuses années. Elle l'intriguait davantage aujourd'hui. La voix de Jannet, qui se parlait toute seule, lui parvint de la cuisine. Il ne savait pas comment cette histoire allait se terminer, mais il avait tout de même une certitude : elle ne laisserait pas le Don seul face au danger.

25.

Au milieu de la nuit, Tahar sentit le coude de Jannet lui effleurer les côtes.

— Tahar !

— Quoi ?

— Je viens de faire un rêve.

— C'est bien. Dors, maintenant, dit-il en se retournant.

Peine perdue, elle ne le lâcha pas.

— Tahar ! Je viens de te dire que j'ai fait un rêve !

— Un bon présage si Dieu le veut ! murmura-t-il en essayant de clôturer l'affaire.

Mais elle poursuivit :

— Oui, je crois. J'ai vu la Saïda Manoubia. Elle m'a dit qu'on allait partir tous les deux au Japon, trouver un éleveur de reines et ramener à ce pauvre homme une reine japonaise.

Dans le noir, Tahar sourit. La voilà qui commençait à manœuvrer, lui présentant d'emblée un argument de poids : un rêve prémonitoire. Quand elle voulait s'embarquer dans une entreprise hasardeuse, elle dormait, se réveillait, puis lui expliquait qu'elle avait vu la Sainte la bénir et lui recommander de faire ceci ou cela. Il ne pouvait s'empêcher de la taquiner. Il était cartésien et ne croyait pas aux histoires de grands-mères. Pour lui, si ces rêves étaient avérés, ce n'était que l'inconscient de sa femme qui prenait le relais de ses envies conscientes. Et s'ils finissaient par se réaliser, c'était grâce à sa ténacité plutôt qu'à leur caractère prémonitoire.

— Ah oui ? Elle t'a dit ça ? C'est fou, ce qu'elle est au courant de tout.

Jannet alluma la lampe de chevet, ce qui le fit protester.

— Je ne plaisante pas ! martela-t-elle.

Tahar cacha ses yeux et demanda :

— Et elle t'a dit avec quel argent on allait financer ce fabuleux voyage ?

— L'argent, c'est mon affaire, tout ce tu as à faire, c'est de m'accompagner.

— Comment ça, l'argent c'est ton affaire ? dit Tahar qui se cachait toujours de la lumière derrière sa main. Tu sais combien coûtent des billets pour le Japon ? Tu sais que c'est à l'autre bout du monde ?

— Je sais qu'on y connaît quelqu'un, et qu'un voyage au bout du monde ne coûte pas plus cher qu'un pèlerinage à La Mecque.

Tahar baissa la main. Ses yeux s'étaient accommodés à la lumière et il y voyait plus clair dans les intentions de Jannet.

— Tu ferais ça ? Tu ferais ça pour cet homme ?

— Oui, je le ferais. Je peux le faire, alors je le ferai.

Comme elle brûlait de fouler la terre sainte, ses enfants lui avaient offert pour sa retraite le prix du voyage. Elle comptait y aller cette année ou la suivante, mais La Mecque attendrait.

— Alors, tu m'accompagnes ?

Comme sa question était simple au point de devenir compliquée, Tahar préféra se recoucher sans répondre.

À leur réveil, le Don n'était plus là. Sur la table de chevet, il leur avait laissé un mot.

Chère famille,
J'ai dû partir très tôt pour retrouver mes filles. Merci de votre aide précieuse. Si par une occasion heureuse, vous venez me rendre visite à Nawa, amenez Farah avec vous. L'air de la campagne lui ferait du bien. Que Dieu vous bénisse.

Alors qu'ils étaient installés sur la terrasse, devant leurs tasses de café, Jannet revint à la charge.

— Tu sais, quand je me suis rendormie après que tu t'étais rendormi…

— Eh bien ?

— J'ai revu Saïda Manoubia.

— Encore ?!

— Oui. Elle m'a dit que je rapporterais du Japon une jolie reine, et que ce n'était pas grave si tu ne venais pas.

Tahar s'étouffa avec son café.

— Elle t'a dit tout ça !

— Absolument !

— Tu ne vas pas aller au Japon parce que ton oncle a chassé un frelon !

— Mon oncle n'est pas descendu de sa colline parce qu'il a chassé un frelon, mais parce que ses compères ont détruit une de ses ruches et que ça risque bien de se reproduire, pour lui comme pour d'autres apiculteurs.

— Allons ! Sois raisonnable !

— Quand j'écoute ma raison, elle me dit d'y aller. Quand j'écoute mon cœur, il me dit d'y aller, et quand j'écoute la Saïda, elle me dit d'y aller.

— Par pitié, arrête avec la Saïda ! la supplia-t-il. Tu crois vraiment qu'en lui rapportant quelques reines, cela suffira pour lutter contre l'invasion que subira toute une région, tout un pays ?

— Ça ne suffira pas, je le sais. Mais ça sera un début. Après, ça prendra ! Les abeilles se reproduiront encore plus vite que les frelons ! Elles seront partout !

— Et tes enfants ? Ce n'est pas pour ce voyage qu'ils t'ont offert une coquette somme. En plus, ils connaissent à peine ton oncle.

— Je leur expliquerai, et s'ils ne me soutiennent pas, alors tant pis. Je me dirai que j'ai loupé quelque chose en les éduquant et j'irai quand même.

Qu'elle est têtue, se dit-il en la regardant. Elle usait tout et tout le monde avec sa détermination sans faille.

— Qu'est-ce que tu as à perdre dans l'affaire ? reprit-elle. Un voyage tous frais payés, cela ne se refuse pas. Cela ne te plairait pas de voir une geisha pour de vrai ?

— Ça ne me déplairait pas.

— Je prends ça pour un oui.

Tahar finit de boire son café puis rentra s'asseoir dans son coin préféré du salon. Il fixa longuement la geisha dans sa maison de verre. Déjà, à la bibliothèque de l'université, il avait eu une pensée pour elle lorsque leur quête de savoir les avait menés jusqu'aux pages nippones.

Les années s'étaient succédé, changeant le décor et les générations autour d'eux, mais la geisha était toujours la même : la silhouette droite, le visage maquillé avec minutie, le *yukata* rouge fleuri parfaitement ficelé et le chignon impeccable. Les petits pieds dans les chaussettes blanches et les mains, l'une tenant un éventail blanc et l'autre présentant une fine paume, couronnaient la grâce de son allure. L'aura qu'elle émettait dépassait la vitrine : elle avait beau n'être qu'une poupée dans une boîte, quelque chose en elle l'avait incontestablement charmé.

Elle était la seule rescapée des trois cambriolages qu'ils avaient subis en deux ans. Avec la révolution, le peuple tenait sa revanche sur la police de toutes les façons possibles. Hier toute-puissante et fréquemment injuste, elle était devenue fragile, débordée par l'explosion des faits divers et l'émergence de groupuscules terroristes. Il n'était même plus surprenant d'entendre que des individus avaient incendié tel poste de police ou attaqué telle patrouille. À chaque cambriolage où leur maison était mise à sac, Tahar regardait la geisha impassible et lui demandait d'une voix fatiguée :

— Tu les as vus, toi, ces maudits voleurs ! Tu ne veux pas me dire qui c'était ?

Il la contempla encore, puis tendit la main et ouvrit la porte de sa maison de verre. Il tira de l'intérieur une carte jaunie par le temps. Il avait reçu la geisha par la poste, dans un colis qu'il avait déballé sous les yeux ébahis de ses enfants. Les cambrioleurs l'avaient-ils jugée sans valeur ? Elle n'en avait que davantage pour lui aujourd'hui. Elle était plus qu'un élément de décor.

Tokyo, octobre 1984

Cher professeur,
Permettez-moi de vous offrir cette geisha, gardienne de la tradition japonaise. J'espère qu'elle trouvera une place dans votre salon et qu'elle vous rappellera nos agréables conversations.
Amitiés sincères,
Shinji Saiko

La carte se concluait sur des coordonnées tokyoïtes et un numéro de téléphone.

— Tu crois que Shinji est toujours de ce monde, et qu'il a toujours le même numéro ?

— Nous sommes toujours de ce monde, et notre numéro n'a pas changé depuis des décennies.

— Et s'il ne répond pas ?

— On ira quand même !

— Tu imagines s'il répond ?

— Ce serait formidable !

Jannet ne connaissait pas Shinji Saiko personnellement, mais elle savait qu'il avait été son élève. Dans les années quatre-vingt, Tahar avait donné des cours d'arabe à l'Institut des langues vivantes plusieurs étés de suite. Le pays était encore connu pour son harmonie sociale, sa douceur de vivre et ses plages de sable fin. Les étrangers s'y rendaient nombreux, notamment pour des stages de langue, dans le cadre de promotions internationales composées de Français, d'Espagnols, de Cubains, de Canadiens, d'Allemands, de Chinois, de Japonais et de tant d'autres nationalités. Arabophones confirmés ou aspirant à le devenir, tous étaient là pour célébrer cette langue fascinante, ses sonorités et sa calligraphie. En fin de stage, le professeur nouait avec certains des liens amicaux et les invitait parfois chez lui. Longtemps, il avait entretenu avec bon nombre d'entre eux une correspondance épistolaire. Au plus fort de son activité, il avait une cinquantaine de correspondants et autant d'univers qui lui parvenaient par voie postale. Ses enfants soumettaient les enveloppes à l'épreuve de la vapeur, décollaient les timbres avec précaution et garnissaient leur jolie collection, pendant qu'il lisait et corrigeait ses élèves désormais éparpillés à travers le monde et rédigeait des réponses en retour. Il lui était même arrivé de rendre visite à quelques-uns à l'occasion de voyages privés ou de séminaires en Europe.

Il se souvenait très bien de Shinji Saiko et de l'été 1984. Traducteur de presse polyglotte, l'homme l'avait marqué dès le premier jour. Il s'était incliné longuement devant lui et voulait se déchausser avant de fouler le sol sacré de la classe. Tahar trouvait son attitude fascinante mais il l'avait prié de garder ses mocassins.

— Comment est le Japon, monsieur Saiko ? avait demandé Tahar lors de son traditionnel tour de classe, où chaque élève présentait son pays aux autres.

— C'est très différent d'ici, avait-il répondu. Mais il y a un point commun. Ces deux pays sont un savoureux mélange de tradition et de modernité.

Le matin à huit heures, Tahar et Shinji étaient souvent seuls pour ouvrir le cours. Les stagiaires se laissaient surprendre par le rythme lunaire du pays et son atmosphère nocturne propice à la veille : ils arrivaient en retard le matin. Un jour, Shinji profita du tête-à-tête avec son professeur pour lui raconter une histoire.

Au XVIIᵉ siècle, dans la ville de Kushiro située sur l'île d'Hokkaido, deux samouraïs en congés se croisèrent aux fêtes du printemps. C'étaient de vieux camarades qui s'étaient perdus de vue car ils servaient des seigneurs différents, et leurs retrouvailles les réjouirent grandement. Ensemble, ils profitèrent de la frairie et de leur compagnie mutuelle au point de se promettre de se retrouver à la même occasion l'année suivante. Quand vint le printemps, l'un d'eux, n'ayant pu accomplir à temps le voyage, dégaina son *katana* et se fit hara-kiri. Son esprit apparut à son ami dans la ville de Kushiro au moment des festivités, honorant ainsi sa promesse.

— Mon cher, si tous les retardataires du pays se font hara-kiri, il ne restera plus personne. Il n'y aura que des esprits qui erreront dans les villes, avait ri Tahar, et son élève avec lui.

À la fin du stage, Shinji repartit à Tokyo. Longtemps, ils s'étaient écrit, s'échangeant leurs vœux, quelques cadeaux. Mais au fil des années, comme pour les autres correspondances, le lien s'estompa.

— Appelle, tu verras bien !

À midi heure locale, dix-huit heures de Tokyo, alors que Tahar composait le numéro de Shinji Saiko sur son téléphone, ses deux étudiantes, munies de certificats médicaux décrivant leurs traumatismes et les arrêtant une vingtaine de jours, portaient plainte contre lui pour coups et blessures.

La tonalité de retour d'appel confirma que le numéro était toujours actif.

Les longs bips le stressaient.

Au bout d'une dizaine de sonneries, le salut nippon arriva, doux et rassurant.

— *Konichiwa !*

— Shinji Saiko ?

— *Hai !*

— Salam Aleik, Shinji Saiko !

Son élève le reconnut, et les deux hommes se jetèrent dans la voix l'un de l'autre, heureux de s'entendre à nouveau.

Ils discutèrent un bon moment. Ils évoquèrent les souvenirs communs, et se racontèrent leurs chemins depuis les années heureuses de ce temps révolu. Ils en avaient vécu des choses, chacun de son côté, à son extrémité du monde. Il y avait un an presque jour pour jour, Tahar était avec sa famille, enfermé chez lui, soumis comme l'ensemble du pays à un couvre-feu militaire instauré suite aux semaines de troubles post-révolutionnaires et à la vague d'assassinats. Shinji Saiko, quant à lui, était terré dans son sous-sol avec sa famille, soumis à une alerte à la radioactivité déclenchée suite au tsunami qui avait ravagé la centrale nucléaire de Fukushima, craignant de voir tomber sur eux la pluie noire.

— Ici, des choix collectifs forts ont été faits. La vie avant tout ! La dernière centrale nucléaire sera fermée dans un an.

— Ici, des choix collectifs faibles ont été faits. La mort rôde partout, chez les hommes comme chez les insectes.

— Comment !?

Tahar expliqua à Shinji la raison première de son appel. Il lui raconta aussi l'histoire des filles du Don, et la volonté ferme de Jannet d'aller jusqu'au Japon.

— Voilà une merveilleuse nouvelle ! s'exclama-t-il.

— Oui, enfin je crois ! répliqua Tahar. Shinji, pourriez-vous être notre guide pendant notre voyage ? Je serais incapable de trouver un éleveur de reines ici, alors au Japon !

— Professeur, permettez-moi de vous offrir
mon aide et mon hospitalité !

26.

— Douda, sors de ta tanière !

L'appel n'était pas franc. La voix n'était que
murmure nocturne, à peine perceptible, entre
le chuchotement du vent, les cris des loups et le
ronflement de sa femme enceinte à ses côtés.
Mais pour l'avoir entendue et tant attendue,
Douda se redressa. C'était la voix de son ami,
le frère que sa mère n'avait pas enfanté, comme
il se plaisait à dire.

Il n'en croyait pas ses oreilles, et pourtant il
sortit doucement, prenant soin de ne pas réveiller Hadda. Dans la lutte qu'entamèrent ses yeux
pour s'accommoder à l'obscurité en cette nuit
sans lune, il distingua la silhouette de Toumi
debout devant chez lui. Il s'empressa de lui
ouvrir ses bras, et les deux hommes se serrèrent
longuement. Douda sentit entre ses côtes et les
côtes de son ami la froideur du fer, et sur sa
joue les poils d'une barbe foisonnante.

— Toumi, où étais-tu ? Je me suis tellement
inquiété !

— Je suis revenu. Tu le savais, non ? Dis que
tu le savais !

Douda n'en savait rien. Il était sans nouvelle depuis trois mois et se faisait un sang d'encre, mais sous le coup de l'émotion, il dit :

— Je le savais. Je le savais.

Les deux amis relâchèrent leur étreinte. Douda commençait à voir et à distinguer. Toumi avait changé. La seule nouveauté n'était pas sa barbe de sauvageon. Sa métamorphose semblait beaucoup plus profonde. Les nombreux accessoires qui complétaient sa tunique noire en attestaient : à la taille, une machette et deux grenades ; à l'épaule, un fusil automatique ; en diagonale le long du torse, une cartouchière de gros calibre. Douda toucha les balles sur la poitrine de son ami.

— Qu'est-ce qui t'est arrivé, Toumi ?

— Pour commencer, ne m'appelle plus Toumi. Appelle-moi Abou Labba !

— Abou quoi ?

— Abou Labba !

Douda ne comprenait pas.

— Tu as eu un enfant que tu as appelé Labba ?

— Non, idiot ! C'est mon nom de guerre.

Douda parvint à voir plus loin encore dans la profondeur de la nuit, et se rendit compte que son ami n'était pas seul. À un jet de pierre derrière lui, entre les oliviers, se tenaient une dizaine d'ombres barbues armées de kalach. Surpris, il fit un pas en arrière.

— N'aie pas peur ! C'est ma *katiba*[1].

---

1. Bataillon.

— Guerre ? Katiba ? Mais de quoi parles-tu, Toumi ?

— Abou Labba ! grogna l'autre. La guerre dont je te parle, c'est la guerre sainte ! Tu as oublié le prêche que nous avons écouté ensemble ? Nous allons restaurer le royaume de Dieu sur cette terre de mécréants avant l'imminente apocalypse !

— Mais ici ce n'est pas une terre de mécréants ! s'étonna Douda.

— Si, Douda ! Si ! Les gens sont hypocrites. Ils se déclarent d'une religion et font tout le contraire de ce qu'elle édicte. Même le Parti de Dieu fait des concessions pour gouverner, sous prétexte de démocratie. Il n'est pas assez radical, il laisse vivre les communistes et les laïcs ! Il faut imposer la loi de Dieu ! Il est temps de remettre tout le monde sur le droit chemin !

Douda regarda de nouveau les accessoires meurtriers de son ami et lui demanda :

— Et toi, Abou Labba, tu es sur le droit chemin ?

— Absolument, Douda ! Je suis sur le *sirat*[1] !!

Douda baissa la tête.

— Fais-moi confiance ! D'ici peu de temps, tu verras que j'ai raison ! Écoute-moi maintenant. Comment va Hadda ? Sa grossesse se passe bien ?

— Oui.

— Tiens, tu lui achèteras de vraies dorades ! dit-il en lui glissant quelque chose dans la main.

Douda devina la liasse épaisse.

---

1. Le droit chemin.

— D'où tu tiens ça ??

— Dieu donne à celui qui prend Son chemin.

— C'est Dieu qui t'a donné cet argent ?

Toumi insista :

— Prends-le et achète-lui de vraies dorades, et tout ce qu'elle désire jusqu'à la naissance, ton enfant ne sera pas infortuné, Douda, tu m'entends !

Douda était abasourdi. Quelle fortune serait promise à un enfant qui voyait le jour entre grenades et mitraillettes ?

Toumi lui redressa le menton et lui mit dans la main une deuxième liasse :

— Écoute-moi bien, Douda ! Je pars dans la montagne avec ma katiba. Nous allons y installer notre campement. Prends cet argent, et va à Nawa. Fais des courses pour moi. Achète du sucre, du café, du thé, du riz, des pâtes, des pommes de terre, des conserves. Le maximum de ce que tu peux charger sur le dos de ton mulet. Sois discret. Personne ne doit savoir qu'on est là-haut. On se retrouve à la source dans deux nuits. D'accord ?

Douda restait muré dans le silence. Toumi le secoua par les épaules :

— D'accord ?

— D'accord.

— Maintenant, dis-moi, comment va Baya ?

— Je ne sais pas.

— Comment ça, tu ne sais pas ?

— Elle est partie il y a un mois, travailler à la capitale.

Les yeux d'Abu Labba brillaient dans le noir :

— Bientôt la capitale tombera, bientôt je la récupérerai.

— Vous voulez faire tomber la capitale ?

— Avec l'aide de Dieu, entre nos mains ! Nous allons restaurer le royaume de Dieu, de l'Extrême-Orient jusqu'au Far West. Nos frères en Irak et au Levant ont commencé la conquête. Nous avons un khalife, Douda ! Tu le savais, ça ? Nous avons un khalife, comme à l'âge d'or !

Toumi le prit de nouveau entre ses bras, puis le relâcha et recula rejoindre sa katiba. Leurs silhouettes ne tardèrent pas à se faire avaler par les ténèbres, laissant Douda pantois, muet, planté sur place.

— Dans deux nuits, Douda. À la source. Tout ce que ta mule pourra charger.

27.

Dans la semaine, Tahar posa ses congés à l'université et Jannet débloqua l'argent du pèlerinage. Elle acheta deux billets pour le Japon. Les formalités administratives, auxquels ils se heurtaient à chacun de leurs voyages, étaient moins compliquées que ce qu'ils craignaient. En effet, le gouvernement japonais n'exigeait pas de visa d'entrée pour les ressortissants du pays. À la frontière, le passage se faisait simplement avec un passeport en règle.

— Cela ne m'étonne pas ! commenta Tahar. Qui, d'ici, irait aussi loin ?

— Nous ! se réjouit Jannet.

Quelques jours plus tard, ils étaient à bord d'un long-courrier à destination de Tokyo.

Pendant tout le voyage, ils se tinrent la main. Ils avaient déjà voyagé chacun de son côté. Ce jour-là, ils prenaient pour la première fois l'avion ensemble.

Une escale et vingt heures plus tard, ils débarquèrent dans la capitale nippone. Ils avaient dormi une bonne partie du trajet et se réveillèrent au moment où l'avion entamait sa descente. Du hublot, ils admirèrent l'archipel étendu. Le paysage ne ressemblait à rien de familier. Des centaines d'îles éclatées dans l'océan, à la nature verdoyante et aux nombreux volcans et reliefs. Plus bas, ils aperçurent les rizières luire au soleil couchant, et plus loin, les villes s'étiraient entre montagnes et océan.

L'organisation du lumineux aéroport de Haneda était si efficace qu'ils ne mirent pas plus de quinze minutes à franchir la police des frontières. Une fois les formalités accomplies, ils trouvèrent leurs bagages déjà acheminés sur les tapis roulants.

— Hallucinant ! siffla Tahar.

— Quoi donc ?

— Les vingt minutes entre l'atterrissage d'un vol international et la sortie, répondit-il en poussant son chariot.

Dans le hall des arrivées, un homme en tenue de ville les attendait avec une pancarte manuscrite en arabe : *Tahar et Jannet*.

— C'est Shinji ? chuchota Jannet.

— C'est bien lui, répondit Tahar.

— Je l'imaginais plus jeune que toi, souffla-t-elle.

— Il a presque dix ans de plus ! À l'époque, j'étais plus jeune que la plupart de mes élèves.

Arborant un franc sourire, Shinji alla à leur rencontre, et les deux hommes se serrèrent chaleureusement la main. Shinji s'exprima dans un arabe un peu lacunaire.

— Professeur Tahar ! Quel bonheur de vous revoir !

— Après toutes ces années ! Et cela sans hara-kiri, plaisanta Tahar. Laissez-moi vous présenter l'instigatrice de ce voyage : ma femme, Jannet.

— Madame ! Je suis si honoré ! dit Shinji en s'inclinant à plusieurs reprises.

— Tout l'honneur est pour moi !

— Mon épouse vous attend avec impatience ! Suivez-moi, ma voiture est garée au sous-sol.

Sur la route, Jannet félicita son hôte :

— Monsieur Saiko, votre arabe force l'admiration !

— C'est que j'avais un bon professeur ! Un bon professeur ! répéta-t-il comme pour assurer ses mots.

— Vous étiez un brillant élève, le seul à être ponctuel, se rappela Tahar.

— J'ai beaucoup révisé depuis votre appel, sourit-il avant de reprendre : Professeur, un jour, vous m'avez demandé comment était le Japon. Vous allez pouvoir vous faire votre propre idée.

À travers les vitres, Tahar était déjà noyé dans les lumières de Tokyo. Shinji prenait le soin de rouler doucement, lui laissant le temps d'observer le paysage. La ville défilait sous ses yeux impressionnés. Elle n'était pas aussi encombrée que ce qu'il imaginait, elle offrait même un sentiment d'espace avec ses larges routes. Les bâtiments variaient en hauteur et les quartiers en densité. Aux prodigieux gratte-ciel de la périphérie se succédaient des immeubles bas ornés d'écrans géants et d'enseignes, abritant boutiques, bars et restaurants, au pied desquels la vie nocturne ne faisait que commencer.

— Tokyo a subi de terribles bombardements pendant la Seconde Guerre. Presque toute la ville a été rebâtie.

À distance du centre, les quartiers résidentiels étaient nettement plus calmes, à l'image du quartier d'Itabashi où Shinji et sa femme Inoue habitaient seuls. Grands-parents depuis quelques années, eux aussi s'interrogeaient sur l'avenir de leurs petits-enfants et sur le monde qu'ils allaient leur léguer.

En ouvrant la porte, Inoue s'inclina devant eux et ils firent de même. Elle répétait dans sa langue de chaleureuses formules.

Shinji fit l'interprète :

— Elle vous souhaite la bienvenue chez nous !

— C'est une joie de vous rencontrer, et merci de nous accueillir, répondirent-ils.

Comme le veut la tradition japonaise, ils se déchaussèrent à l'entrée et enfilèrent des chaussons. Bien que petite, la maison des Saiko était confortable : l'espace était maîtrisé et optimisé. Tout était plus étriqué que la norme à laquelle ils étaient habitués. Même les plantes d'intérieur étaient ajustées aux dimensions minimalistes.

— Ce sont des bonsaïs, des arbres miniaturisés. Ils requièrent un soin et une attention particuliers, expliqua Shinji.

Avant de les laisser se reposer dans leur chambre d'amis, Shinji prit Tahar à part et le prévint, l'air grave :

— Professeur, vous remarquerez que dans les toilettes, il y a plein de boutons qui gèrent de multiples jets d'eau. Alors pas de panique. Fiez-vous à votre instinct.

28.

Un savoureux mélange de modernité et de tradition, voilà qui est vrai, se répétait Tahar au contact de la culture japonaise.

En effet, soucieux d'enrichir le bref séjour de ses amis, Shinji leur avait concocté un petit circuit de découverte.

Tôt le matin, il les emmena à la fameuse criée au thon. Devant l'insistance de Shinji et du poissonnier, ils avalèrent à contrecœur une première fois des tranches de poisson cru, avant de recommencer gaiement.

Au temple ancestral d'Asakusa, le Sensō-ji, ils eurent le privilège d'assister à une prière récitée par des moines bouddhistes, suivis dans leurs chants par des fidèles dévoués. Ils se promenèrent dans ses jardins zen où les carpes flottaient sereines à fleur d'eau.

Un soir, près de la rivière Sumida, ils dînèrent dans un *ryōtei*[1] où se jouait un spectacle de *maiko*[2] composé de chants et de danses de l'éventail.

— Te voilà sortie de ta maison de verre !

Et Tahar ne savait plus, en finissant sa phrase, s'il parlait de la geisha ou de lui-même. Ils visitèrent de nuit le quartier électrique d'Akihabara. Entre les immeubles saturés de lumière et de gamers survoltés, ne cessaient de circuler des personnes drôlement vêtues.

— Ils se déguisent en personnages de manga. Ils s'identifient à eux. C'est un véritable phénomène au Japon, commenta Shinji au sujet de ces looks irréalistes.

Au parc d'Ueno, après avoir croisé des *rikishi*[3] contenant leur corpulence hallucinante dans des kimonos soignés, déclenchant sur leur passage

---

1. Restaurant traditionnel haut de gamme.
2. Apprentie geisha.
3. Lutteurs de sumo.

hystérie et vénération, ils tombèrent nez à nez sur une troupe de faux Elvis, qui inventaient des chorégraphies de rock autour d'enceintes vintage.

Ces hommes et femmes aux traits différents, mais aux expressions si familières. Tous courtois et unis par le respect des règles de la collectivité.

Tahar notait sur son calepin des remarques qui témoignaient de son étonnement.

Ces deux derniers jours, j'ai vu des costauds faire la queue derrière des gringalets pour rentrer dans des métros et des trains toujours à l'heure, j'ai vu des piétons qui s'arrêtent au feu rouge même à minuit alors qu'il n'y a pas l'ombre d'une voiture. J'ai vu des rues et des parcs étincelants de propreté. Pas un papier ni un mégot de cigarette par terre. Dans les temples et les jardins zen, l'attention est portée jusqu'aux pétales, rassemblés en petits tas au pied de leurs fleurs.

Le palais acclimaté, Tahar aborda son ramen du soir avec enthousiasme.

— Comment êtes-vous arrivés à ce degré de civilité, madame Saiko ?

— Comme nos abeilles qui doivent coexister avec les frelons géants, nous sommes un peuple qui doit coexister avec les failles de la terre : séismes, tsunamis, éruptions de volcans... et la guerre, la faille de la nature humaine. Nous savons que notre archipel est fragile, que notre existence est fragile, et qu'il nous faut toujours reconstruire avec les survivants. Nous sommes un peuple rompu aux catastrophes, professeur.

L'autre n'est rien d'autre que nous, un survivant et un partenaire.

» Mais il ne faut pas non plus idéaliser la société japonaise, poursuivit-elle. Elle est secrète et cache pas mal de travers, difficiles à cerner par les étrangers.

Jannet n'osa pas leur raconter sa mésaventure de la journée. Alors qu'ils se baladaient à Shibuya, elle avait vu une vitrine où étaient suspendues des tenues d'écolières. Sa naïveté l'avait poussée dans le magasin, ce qu'elle avait regretté aussitôt. Il y avait certes des tenues d'écolières, mais aussi d'infirmières, d'hôtesses de l'air... Des poupées gonflables, des jouets sexuels, des plus suggestifs aux plus crus, remplissaient les rayons du magasin haut de plusieurs étages. Elle en était sortie en courant, récitant quelques prières, se demandant comment des gens aussi timides pouvaient fréquenter pareils lieux.

29.

Dans les hauteurs de la Tokyo Skytree, Tahar était bouche bée. L'étage complètement vitré offrait un panorama grandiose sur toute la capitale japonaise.

Au pied de la tour autoportée la plus haute au monde, Jannet avait déjà le vertige. À essayer d'en apercevoir le sommet, elle faillit tomber à la renverse. Les leds greffées sur sa structure néo-futuriste l'habillaient d'un élégant bleu *iki* qui sublimait son squelette métallique élancé.

Les ascenseurs permettant d'accéder au Tembo Deck, la plate-forme d'observation à trois cent soixante degrés, mettaient moins d'une minute pour acheminer les visiteurs et il fallut à Tahar se montrer persuasif pour convaincre sa femme de monter avec lui.

— Tu imagines si l'ascenseur tombe et que je meurs seul ?

Mais l'ascenseur était un cocon et malgré l'ascension fulgurante, ils ne sentirent aucune secousse. Le vertige céda la place à l'émerveillement.

Ils se trouvaient au trois cent cinquantième étage, à autant de mètres du sol, il était vingt-deux heures passées, et Tokyo déroulait sous leurs yeux ses prouesses architecturales et son sens impérial de la méthode. L'éclairage nocturne multicolore faisait planer au-dessus de la mégapole un halo qui allait au-delà de l'horizon. Les gratte-ciel ponctuaient le paysage comme des estrades de lumière et le titanesque réseau urbain courait à perte de vue, enjambait les bras de la baie de Tokyo, et jetait partout ses tentacules précis et aérés de routes, de chemins de fer et de ponts où serpentaient trains et voitures tels des jouets ornés de guirlandes. Alors qu'ils admiraient la vue, ils entendaient la voix de Shinji leur démêler l'étendue urbaine.

— Devant, c'est Yokohama City. Au loin, c'est l'île d'Odaiba. Le mont Fuji est à l'est. Il n'est pas visible de nuit. Nikko est à deux heures dans cette direction.

— C'est là qu'il y a l'éleveur des reines ?

— C'est exact, acquiesça Shinji, c'est là où nous irons demain.

— Inchallah, compléta Jannet dans son cœur.

Le village de Nikko n'était pas à l'abandon, comme Nawa et les autres villages du pays. Au contraire, c'était un joyau fier de ses temples, dont le Tōshō-gū, qui abrite les trois singes de la sagesse[1] et le chat endormi[2], ainsi que le Rinnō-ji, et ses fameux bouddhas dorés qui incarnent les montagnes sacrées de Nikko.

Shinji parqua la voiture dans le quartier de la gare et la troupe continua à pied dans les ruelles paisibles, où se succédaient les petites maisons aux jardins manucurés. Ils empruntèrent un sentier qui menait au domaine apicole.

Shinji marchait devant et les deux époux le suivaient main dans la main. Cela faisait des années qu'ils n'avaient plus randonné, sans doute se trouvaient-ils un peu vieux pour l'exercice. Mais derrière Shinji, Jannet avait oublié son arthrose et Tahar ses maux de dos

---

1. Je ne dis pas le mal, je n'entends pas le mal, je ne vois pas le mal.
2. Qui représente la bienveillance que se doit d'avoir le plus fort envers le plus faible.

tant le paysage était éclatant. Le printemps battait son plein et partout les cerisiers étaient en fleur, les arbres rayonnaient de vert et de vermeil. Après un passage sous les *torii*[1], ils longèrent une rivière cristalline qui prenait source dans les hauts sommets. Revigorée par la fonte des neiges, elle était gardée par des bouddhas de pierre en méditation tout le long de son parcours. Tahar, trois fois cambriolé, remarqua les petits tas d'argent posés par les prieurs au pied des statues et qui attendaient sans crainte d'être récoltés par les moines. Décidément.

La nature leur jouait sa musique harmonieuse faite de chutes d'eau, de chants d'oiseaux et de craquements de branches, et à mesure qu'ils s'enfonçaient, ils entendaient les abeilles bourdonner et prendre part au concert balsamique. Ils ne tardèrent pas à les apercevoir à l'œuvre, sautillant de fleur en fleur. Plus ils avançaient, plus elles abondaient dans le paysage. De petits grains d'or battant des ailes et luisant sous le soleil. Ils touchaient à leur but. Face à eux dans les vallons, se profilaient les bâtiments du domaine apicole, semblables à un temple.

— C'est là ! s'écria Shinji en les pointant du doigt.

— On arrive ! se réjouit Jannet.

---

1. Portails traditionnels japonais séparant le domaine sacré du domaine profane.

Encore quelques pas, et ils se retrouvèrent dans le domaine, accueillis à son entrée par le propriétaire, Kisuke Ukitake, dans son kimono blanc et ses *geta* en bois. Son visage était empreint de bienveillance et de retenue mais on pouvait y lire aussi l'émotion de voir venus de si loin des courtisans à ses filles. Les mains jointes à hauteur de menton, l'homme, à qui on n'aurait su donner d'âge, s'inclina longuement devant eux. Ils lui rendirent son salut.

— Bienvenue dans mon humble domaine !

— C'est une joie et un honneur pour nous !

— Je vous prie de me suivre.

Kisuke Ukitake leur fit visiter l'exploitation apicole tout en leur expliquant son histoire. Bien qu'étendu et comptant des milliers de colonies, le domaine, fondé par ses ancêtres au XVIIe siècle, demeurait une entreprise familiale. Il en était aujourd'hui le directeur et le gardien de la tradition. Il transmettait son savoir à ses petits-enfants et leur enseignait, avant de s'éteindre, l'art d'entretenir la vie.

Les ruches étaient partout posées entre les arbres, et les abeilles, belles du Seigneur, travaillaient à toute bitture en cette journée printanière. À le voir marcher, parler de sa voix harmonieuse et caresser ses filles, Jannet ne put s'empêcher de penser au Don, tant il le lui rappelait. Ils avaient la même silhouette, la même gestuelle et le même amour dans la voix.

Tels des frères d'une seule et unique mère, songea-t-elle, *Mère Nature*.

186

À la fin de la visite, Kisuke Ukitake les fit entrer dans ses locaux et leur servit le *matcha*[1]. Les reines étaient déjà prêtes, placées une à une dans des cagettes aérées en plexiglas de la taille d'un petit dictionnaire, accompagnées de leurs gardes rapprochées pour les nourrir le long du voyage. Tahar et Jannet regardèrent d'un œil fasciné les *apis japonica*, noires comme le musc, qui faisaient les mille pas dans leurs boîtes, animées par la hâte d'incorporer une ruche. Elles allaient bientôt traverser les océans pour apporter leur savoir acquis et codé dans leurs gènes.

Shinji prit la parole :

— Quand j'ai expliqué à Ukitake-sama les raisons de votre périple, il a refusé d'être payé.

— Je ne peux accepter d'argent, dit l'apiculteur. C'est un don. Offrez ces reines à l'homme qui les réclame. À ses yeux, elles n'ont pas de prix. Ce sont de bonnes souveraines, ne tardez pas à les mettre au travail.

Le soir, alors qu'il préparait ses bagages, Tahar ne réussit à y caser que dix-neuf boîtes sur les vingt. Une reine ne trouva pas de place dans ses affaires.

— Confie-la-moi, lui proposa Jannet. Coucou, ma belle, lui dit-elle. Nous voyagerons ensemble !

Et elle la rangea avec soin dans son sac.

---

1. Thé vert japonais.

30

— Alors professeur, que pensez-vous du Japon ?

— Le Japon m'a appris sur moi-même plus que je n'ai appris sur lui, répondit Tahar.

Dans l'avion, il serra la main de Jannet.

— Merci pour ce fabuleux voyage.

— Tu vois que tu as eu raison de venir.

Après vingt heures de vol et une escale, ils atterrirent sous le ciel bleu du pays. L'avion n'avait pas encore atteint sa station que les passagers étaient debout avec leurs bagages, dans l'étroitesse du couloir, jouant des coudes pour sortir de l'appareil en premier.

— Nous sommes bien de retour, ironisa Tahar.

À la police des frontières, les fonctionnaires étaient trop peu nombreux pour traiter les files à multiples têtes et quelques altercations éclatèrent de-ci de-là entre certains mécontents de se voir doubler sans gêne. Enfin ce fut à leur tour de se présenter. L'agent examina leurs passeports, les dévisagea, puis consulta une liste. Il s'adressa à Tahar :

— C'est vous Tahar M., le doyen de la faculté des sciences et des lettres ?

— Oui.

— Vous êtes son épouse ?

— Oui.

Il tamponna le passeport de Jannet et le lui rendit, puis il leva son combiné téléphonique et passa un bref coup de fil. Alors que deux hommes le rejoignaient à son guichet, il déclara :

— Madame, veuillez avancer s'il vous plaît. Monsieur, un mandat d'arrêt a été délivré contre vous par le procureur de la République. Vous êtes en état d'arrestation.

Les deux époux échangèrent un regard incrédule.

— Qu'est-ce qui se passe ? De quoi m'accuse-t-on ? s'étonna Tahar.

— Calmez-vous ! ordonna un agent.

— Suivez-nous, nous allons vous expliquer ! dit l'autre.

— Je ne partirai pas sans mon mari, protesta Jannet.

Tahar savait que les policiers avaient encore la gifle facile. La révolution n'avait pas révolutionné les mentalités dégradées. Il tenta de rassurer sa femme et lui murmura à l'oreille :

— Ne t'inquiète pas. Rentre et appelle l'avocat !

Puis il se retourna vers la meute :

— Allons-y, messieurs !

Il s'éloigna dans le labyrinthe de l'aéroport escorté par les uniformes.

Tahar quitta l'aéroport comme un repris de justice, passeport, portable et bagages confisqués. Il fut conduit illico devant le procureur de la République dans une fourgonnette à sirène.

L'homme qui lui faisait face était un trentenaire à la barbe taillée, vêtu d'un costume et d'une cravate noirs. Il tenait son passeport d'un air grave. Tahar remarqua qu'il n'y avait aucune fenêtre dans le bureau, et que ses bagages étaient posés sur une table, au milieu de trois officiers.

— Monsieur Tahar, savez-vous pourquoi vous êtes ici ?

— Je l'ignore.

— Vraiment ? C'est ce que vous prétendez ? Laissez-moi donc vous rafraîchir la mémoire.

Les poings collés à la table, ses index se touchaient avec la frénésie d'un frelon claquant sa mâchoire.

— Il y a deux semaines, vous avez battu et poussé deux de vos étudiantes dans les escaliers de l'université. Deux étudiantes venues vous formuler des souhaits collectifs quant au mode de fonctionnement au sein de l'établissement.

Les yeux de Tahar s'écarquillèrent :

— Il s'agit d'une plainte fallacieuse. Je n'ai jamais fait ce dont vous m'accusez !

Les policiers qui encerclaient ses affaires le fusillèrent du regard.

— Voyons ! poursuivit l'inquisiteur. J'ai ici un certificat médical qui atteste de leurs blessures et qui les dispense de vingt jours de cours pour incapacité totale de travail. Vous pensez qu'elles se sont fait ces hématomes et fractures toutes seules pendant leur sommeil ?

— Certainement pas. Elles étaient parfaitement conscientes quand elles se sont jetées dans les escaliers à la sortie de mon bureau. Elles n'avaient pas besoin d'être poussées !

— Vous admettez donc les avoir reçues dans votre bureau !

— Je ne nie pas cela !

— Et vous ne niez pas avoir refusé d'accéder à leurs demandes ? continua-t-il.

— Mais comment voulez-vous que j'accède à leurs demandes ? On ne peut pas séparer les sexes et arrêter les cours aux heures de prière ! Ce n'est pas possible !

— Et pourquoi donc, monsieur Tahar ? Pourquoi donc ne serait-ce pas possible ? De telles demandes sont-elles, à ce point, illégitimes ? Seriez-vous un *ilmani*[1], monsieur Tahar ?

Tous portèrent sur lui un regard méprisant.

— Ce n'est pas l'objet de mon interpellation. Je ne suis pas ici pour discuter avec vous de la charte de l'université. Et vos accusations sont grotesques !

— Vous sous-estimez votre dossier d'instruction, monsieur Tahar. J'ai ici des témoignages qui vous accablent.

— Des témoignages ? Le seul témoin de la scène, c'est mon vice-doyen.

— Votre vice-doyen est aussi en état d'arrestation pour coups et blessures volontaires, il est en détention provisoire depuis trois jours. Et il y avait bien d'autres témoins de la scène. Des étudiantes, qui ont tout vu ! L'ensemble des témoignages est instruit dans la procédure, dit-il en agitant en l'air un dossier posé devant lui.

---

1. Cartésien.

— Quoi ? Trois jours ? D'autres témoins ? Vous avez perdu la tête ?

— Attention à ce que vous dites, monsieur Tahar. Les charges qui pèsent contre vous sont sérieuses, asséna le procureur sur un ton ferme. Qu'êtes-vous parti faire au Japon ? Vous pensiez peut-être vous faire oublier ?

— Me faire oublier ? Au bout d'une semaine ? Enfin ! Vous n'êtes pas sérieux !

— Épargnez-moi vos commentaires et répondez-moi ! Qu'êtes-vous parti faire au Japon ?

— C'est d'ordre privé !

— Il n'y a plus de privé pour vous ! Déballez ses affaires, ordonna-t-il.

Les trois policiers, jusque-là immobiles, exécutèrent l'ordre et ouvrirent la valise. Ils sortirent ses vêtements, ses livres, et un par un les dix-neuf vaisseaux royaux.

— Qu'est-ce donc que cela ? s'étonna le procureur à la vue des insectes dans leurs cagettes.

— Ce sont des abeilles ! répondit Tahar.

— Ne savez-vous donc pas, monsieur Tahar, que l'introduction d'espèces vivantes non déclarées est strictement interdite et passible de peine ?

— Exception faite aux abeilles, aux sangsues et aux vers à soie, le reprit Tahar. Et ces insectes sont des abeilles.

— Des abeilles, dites-vous ? Moi je vois des mouches. Officiers, que voyez-vous ?

— Des mouches !

— Ce sont des abeilles ! J'ai même les documents qui le prouvent !

Tahar se pressa de sortir de sa veste les papiers tamponnés par Kisuke rédigés en japonais et en anglais et les déplia devant son accusateur.

Le procureur saisit l'un d'eux, le survola puis le rejeta aussitôt :

— Voyez-vous, monsieur Tahar, nous n'avons pas de traducteurs, alors votre papier ne sert strictement à rien. Et nous ne pouvons prendre le risque de vous laisser libérer ces mouches dans la nature, seul Dieu sait quel genre de peste elles peuvent répandre. C'est cela, votre projet pour le pays, *ilmani*, lui importer la peste ? Officiers, détruisez-moi ces mouches !

Tahar tenta de faire barrage de son corps mais il fut aussitôt roué de coups de matraque avec professionnalisme. Alors que deux des officiers le maîtrisaient par les épaules, le troisième aligna par terre les dix-neuf vaisseaux dans lesquels les *apis japonica*, noires comme le musc, faisaient les mille pas, animées par la hâte de se mettre au travail. Puis, il leva haut son pied à dix-neuf reprises, et avec ses bottes dégueulasses, les écrasa une à une. Les corps fragiles cédèrent sous les larges semelles.

— Arrêtez ! Arrêtez ! Ces abeilles sont notre avenir !

À la fin du dix-neuvième carnage, ses geôliers relâchèrent ses épaules et il s'effondra à genoux, devant les cagettes et les cadavres aplatis des feues reines.

— Salauds ! Vous êtes des salauds ! cria Tahar en larmes, meurtri corps et âme.

— Outrage à des représentants de la loi en exercice, voilà qui va rallonger davantage la liste de vos délits ! se réjouit le procureur ; puis il se pencha sur lui, et se gratta la barbe avec un air savant : *Ilmani*, vous êtes vraiment un homme sans foi. Notre avenir n'est pas dans vos bagages, notre avenir est entre les mains de Dieu !

Devant le ministère de l'Intérieur, Jannet et ses enfants étaient à bout de patience. Tahar y était détenu depuis la veille et ils n'avaient aucune nouvelle de lui. Ils ne savaient même pas ce qu'on lui reprochait et seul son avocat, un ami de la famille, avait obtenu un droit de visite.

— Comment va-t-il ?

Sermonné par Tahar, maître Ferjeni se garda de mentionner à Jannet ses hématomes.

— Il va bien, ne t'inquiète pas. On va le sortir de là dès demain.

— Mais qu'est-ce qu'on lui reproche ?

— D'avoir violenté des étudiantes.

— Violenté des étudiantes ? C'est du n'importe quoi !

— Bien sûr que c'est du n'importe quoi ! Tout le monde le sait. Il sera libre demain matin, à la fin de sa garde à vue, je peux te le garantir ! Jannet, une dernière chose.

— Dis ?

L'avocat avait l'air embarrassé. Il craignait que son ami n'ait divagué suite aux coups et ne l'ait

chargé de transmettre un message incohérent.
Il reprit :

— Tahar te dit qu'ils ont assassiné les reines,
et qu'il faut que tu livres le dernier espoir à
Nawa. Enfin... qu'est-ce que cela signifie ?

L'AFTERMATH

En aparté

Je continue de lire et de marcher ici-bas,
Scrutant dans les ruines l'empreinte de tes pas,
Je les vois nettes et claires, quand cesse
  le brouhaha,
Le bien vient de toi, le mal vient de moi,
Tu es mon havre, je suis mon combat.

Le chant du Don

31.

Face à la montagne, le Don se tenait debout.

Des décennies plus tôt, c'était une réserve naturelle, sa faune et sa flore recensées et protégées, ses chemins de randonnées balisés et entretenus. Aujourd'hui, elle était à l'abandon, et seul un connaisseur ou un fugitif aurait osé s'y aventurer.

Les frelons géants étaient là, embusqués dans le maquis, et il n'avait d'autre choix que de chercher leurs nids et de les neutraliser avant de subir de nouvelles attaques.

Sa stratégie préventive n'avait rien à ses yeux d'une solution définitive.

— Dieu seul sait combien de nids il y a là-dedans, ce serait présomptueux de se dire qu'on les aura tous. Mais ce n'est pas une raison pour rester les bras croisés.

Il inspira profondément et tira sur la bride de son mulet :

— Allons, Staka, on a du boulot.

La semaine s'était déroulée sans incidents. Le renfort nawi se présentait tous les matins et montait la garde pendant qu'il passait champs et buissons voisins au peigne fin, sans trouver trace des monstres. Quand il avait annoncé aux villageois son intention d'explorer la montagne, Douda l'avait pris à part.

— N'y va pas ! l'avait-il sommé.

— Il le faut, pourtant.

— Ils sont dangereux ! avait suffoqué l'autre sous le poids de son secret.

Le Don s'était rappelé sa confrontation avec les frelons et l'agressivité qu'ils avaient montrée dans la bataille, mais cela ne l'avait pas découragé. Il avait plié sa double échelle et l'avait chargée dans sa charrette à côté de ses outils et de sa tenue blanche d'apiculteur.

— Ne t'inquiète pas !

Il était prêt.

Si débusquer un nid de frelons dans la montagne était une entreprise incertaine, c'était sans compter sur le plan qu'il avait conçu pour accroître ses chances. Un plan simple qu'il espérait efficace. Les frelons flairent le miel à des kilomètres à la ronde. À bon entendeur : il avait de quoi les appâter.

À la sortie de la steppe, comme lors de sa dernière expédition, il entendit des bruits de moteurs et de pneus remonter la piste. Le peloton des gardes frontaliers finit par lui apparaître et il cala une nouvelle fois son allure sur celle de son âne. Toujours cette impression de voir des enfants dans des linceuls.

Il reconnut les mêmes jeunes soldats et ce fut encore le même qui lui adressa la parole. Cette fois, il lui lança :

— Bonjour monsieur !

Voilà qui est bien mieux, se dit le Don.

— Bonjour, répondit-il.

— Vous partez à la chasse ? lui demanda le capitaine.

— Je ne pars pas braconner, si c'est ce que vous voulez savoir.

— Faites attention à vous !

— Vous de même.

Les voitures tracèrent.

La chaleur était caniculaire en cette matinée d'avril, elle inondait l'air de la senteur des pins et du maquis et affolait les insectes qui fusaient de toutes parts.

Staka tirait la petite charrette derrière son maître. Le Don ouvrait le chemin, portait attention au moindre détail, mettait tous ses sens à contribution, tendant l'oreille, et scrutait les alentours. Il rentrait dans le cœur de la montagne et abordait ses dénivellations. Dans la direction qu'il empruntait, il releva des traces de pas sur des chemins depuis peu défraîchis. Parfois, des mégots écrasés dans des boîtes de conserve.

— Des bipèdes, dit-il en se rendant à l'évidence.

Il eut un mauvais pressentiment et bifurqua aussitôt.

— On prend à droite, Staka.

L'âne suivit sans contester et le Don ouvrait toujours la voie, avançant sur des chemins de traverse. Quand il s'estima à la bonne hauteur, il chercha un lieu pour installer son piège et choisit un petit plateau ombragé.

— Stop, mon Staka !

L'âne s'arrêta en claquant ses oreilles. Le Don déchargea ses outils et commença par se changer ; il enleva son *kabbous* rouge et sa veste en tergal bleu, enfila sa combinaison blanche d'apiculteur et exhiba son appât : un petit caisson en bois dans lequel il avait placé un cardon entier de miel, soustrait à l'une de ses ruches. Il l'exposa, grand ouvert.

— Montrez-vous ! Je vous attends !

Mais rapidement, d'autres insectes flairèrent le miel et pointèrent le bout de leur nez. Il les chassa sur-le-champ :

— Ouste ! Ce n'est pas pour vous !

L'attente l'éprouva. Les minutes s'écoulèrent en heures interminables durant lesquelles il livrait bataille à tous les insectes des environs sauf à ceux qu'il était venu traquer. Sa raison et son intuition finirent par le persuader qu'il était sur le mauvais flanc de la montagne, alors il rangea le cadran, chargea la charrette et convia son partenaire.

— Viens, Staka, on bouge !

Le petit convoi se remit en route.

Au crépuscule, le Don était sur le bon versant, face à la frontière et au vent d'ouest. Après une journée sous la chape de l'ardent soleil, la forêt groggy transpirait. Son âne et lui-même étaient exténués car pour en arriver là, ils avaient dû

202

abandonner la charrette et grimper sur le flanc comme deux chevreuils.

Il campa, alluma un feu, donna à boire à Staka et se prépara une couchette. Il se déchaussa et s'accroupit devant le feu. Accablé par un mal de crâne et quelques nœuds au dos, il se rafraîchit, se massa la tête, appuya sur ses tempes et étira ses muscles et ses vieux os. La semaine avait été harassante et ce n'était pas le moment d'en subir les conséquences.

Avant de s'endormir à la belle étoile, il mangea à sa faim et but à sa soif, fit ses ablutions et pria Dieu, ce Dieu des abeilles qui invitait à lire, de le guider, de lui accorder la chance, et de mettre Sa force et Sa sagesse entre ses mains.

Le lendemain, il se leva avant le soleil et échauffa ses membres.

Depuis sa nouvelle position sur le versant frontalier, le Don ressortit son appât et se livra à la même attente que la veille.

Cette fois, elle ne fut pas pénible, mais rapide et fructueuse. Au milieu de la matinée, il entendit ce bruit caractéristique qui glace le sang. Le bourdonnement lourd qui sature l'espace et éteint les bruits aux alentours.

— Ils sont là !

Sortis du maquis, deux frelons géants volant en formation arrivaient de face. Ils se déplaçaient à découvert, avec assurance, sûrs de leur suprématie, fendant l'air de leurs ailes monumentales comme deux bombardiers. À hauteur du caisson, ils réalisèrent un vol d'observation stationnaire avant d'amorcer les manœuvres d'atterrissage. Ils se posèrent sur ses bords.

— Oui, c'est cela, marquez-le maintenant ! dit le Don qui les observait d'un œil attentif.

Les deux frelons se pavanèrent sur les parois de l'appât, secouant leurs corps, déversant leurs odeurs. Une fois leur danse exécutée, et alors qu'ils s'apprêtaient à décoller, le Don attrapa le plus gros par les ailes, pendant que son compère reprenait son envol.

— Halte !

Comme la dernière fois, le frelon captif se montra d'une grande agressivité. Coincé entre les doigts du Don, il agitait nerveusement ses pattes velues, faisait claquer sans cesse ses mandibules, rentrait et sortait son dard avec frénésie.

— On se calme, je te relâche bientôt !

De sa poche, il sortit un fin ruban rouge qu'il noua soigneusement autour de l'abdomen géant de la bête.

— Voilà ce qui rendra ta traque possible !

Avant de libérer le captif, le Don nettoya le caisson et le ferma, puis s'adressa à son âne :

— Tu ne bouges pas, je reviens !

Puis il desserra les doigts et aussitôt, le frelon s'envola en traînant dans le ciel le petit ruban. Le Don courait derrière lui, ne le quittant pas des yeux, marquant d'un morceau de chaux les arbres sur son passage.

— Conduis-moi, mais pas trop vite ! Je n'ai plus mes jambes de vingt ans !

Handicapé par le marqueur qui gênait ses ailes, l'insecte perdait de la vitesse et s'arrêta plusieurs fois sur le chemin de son nid. Pourtant le Don, au pas de course, avait du mal à suivre sa cadence.

Au bout d'une demi-heure à enjamber haies et lianes à en perdre haleine, la traque s'arrêta au pied d'un pin vertigineux d'une quinzaine de mètres. L'insecte se hissa jusqu'au sommet où le nid était suspendu comme un lustre géant. Le Don le poursuivit du regard et siffla longuement :

— Eh bien mon vieux ! Là-dedans, les frelons doivent se compter par milliers ! Et ce n'est pas ta double échelle qui va t'aider à les atteindre !

Il évalua son diamètre à un mètre et jugea de son poids. Décrocher le nid et le descendre étaient une périlleuse idée. Conscient qu'il était à la limite de ce qu'un homme dans la force de l'âge pouvait accomplir, hardi, il ne flancha pas.

— Ça reste à ta portée, vieillard !

Et si l'échec lui était fatal, alors que Sa volonté soit faite. Pour lui, chaque homme avait son heure et il n'attendrait pas la sienne sous l'ombre d'un olivier. Il agirait pour le bien de ses filles, coûte que coûte. Il retourna à son campement et revint avec ses outils et Staka en renfort.

Il passa le reste de la journée à observer ses adversaires, à analyser leur comportement et à étudier l'emplacement de leur forteresse. Elle était quasiment hermétique ; seule une trappe à l'extrémité inférieure en permettait l'accès.

Il fit plusieurs fois le tour du pin comme un alpiniste qui appréhende un relief. Il étudia scrupuleusement son tronc tortueux, sa frondaison dense et solide et sa large cime en parasol.

— Tu vois, Staka, je vais faire une chose que tu ne m'as jamais vu faire encore car de ma vie, je ne l'ai jamais faite. Je vais escalader cet arbre jusqu'à ce nid imposant, je vais le décrocher et le descendre. Si je tombe et que je me tords le cou, je compte sur toi pour ramener mon corps à la cabane et m'organiser de jolies funérailles.

Staka claqua ses oreilles et adressa à son maître un regard enjoué, comme s'il lui disait :

— Ne t'inquiète pas pour ça et commence déjà par escalader !

— S'attaquer à l'essaim de jour serait suicidaire, tout comme escalader cet arbre de nuit, confia-t-il.

— Que comptes-tu faire ?

— Une pierre, deux coups, répondit le Don. À l'aube, j'y verrai quelque chose et eux, ils seront encore endormis. C'est là qu'on les surprendra.

Il campa à quelques pas, attendant son heure, parachevant ses préparatifs. Dans une bassine, il dilua dans de l'eau la poudre d'argile et travailla le mélange jusqu'à en faire une pâte molle.

— De l'argile dans l'argile, se disait-il. Pétris, pétris ! Pétris ce que tu étais et ce que tu seras ! Pétris, pétris, tant que tu es encore en vie !

Sous le dôme constellé, alors que le croissant de lune se noyait dans quelques nuages, le Don, lui, se noyait dans une ultime question à laquelle il ne trouvait pas de réponse.

Était-il un homme juste ?

Il finit par s'endormir et son sommeil fut apaisé par un joli rêve où ses filles étaient heureuses, et dansaient dans des ruches devenues villages en fête. Même l'apparition d'un frelon éclaireur à la barbe hideuse ne gâchait pas la fête. Pas de panique ! Maestro, encore de la musique ! Sans perdre leur joie, elles sautaient sur l'intrus, l'enveloppaient et fusionnaient leurs petits corps en un rubis rouge étincelant, d'un éclat sans pareil, chaleureux au point de réduire l'importun en cendres.

Mais de ce rêve qui resta niché dans son inconscience, il ne tira aucun enseignement. Il n'en tira qu'un bon sommeil réparateur, nécessaire à ses plans du lendemain.

32.

L'aube s'annonçait dans le ciel et dans les minarets des mosquées, faisait luire la belle Vénus et chanter les muezzins quand le Don entama la prière à sa façon. Il enfila sa combinaison blanche et son casque d'apiculteur, il enroula un drap et une corde autour de son épaule et accrocha à son cou le sac lourd de la pâte d'argile. Il cala son âne contre l'arbre, se hissa sur son dos pour escalader les premières branches. À plusieurs reprises, il manqua de peu la dégringolade, instable qu'il était sur l'écorce humide. Sous ses pieds, son âne l'observait comme pour l'encourager à poursuivre son ascension.

Les alentours étaient parfaitement silencieux, seule sa voix intérieure l'exhortait à aller au bout de son effort. Il ne se doutait pas que quelques distances plus bas, un prétendu émir exhortait Toumi et les membres de sa katiba à anéantir la patrouille des gardes frontaliers.

— Mes frères ! Aujourd'hui est un jour béni ! Aujourd'hui nous déclarons la guerre à cet État qui refuse la loi de Dieu et veille sur ses frontières coloniales ! Ce matin, nous mettrons en pratique notre entraînement et notre plan. Nous attaquerons cette patrouille du *Taghough*[1] ! Nous l'exterminerons jusqu'au dernier ! Dieu est grand !

— Dieu est grand !

— Dieu est grand !

Dans son scaphandre, le Don progressait en douceur et finit par atteindre le sommet sans réveiller les monstres. Nez à nez avec leur nid, il fut encore plus impressionné par sa taille et par son écorce : une véritable forteresse pour une vaste colonie.

---

1. Selon les takfiristes, le *Taghough* désigne toute représentation d'un État gouverné en dehors du khalifat et contre lequel il faut faire la guerre.

— Beau travail ! Mais dans cette œuvre, il y a bien une faille.

Il scruta la surface et découvrit la brèche.

En apnée, il puisa dans son sac une poignée d'argile et avança un pied, mais faillit tomber.

— Doucement ! Tu y es presque !

Il se lança de nouveau, et cette fois, il réussit à accomplir ses gestes et à boucher la trappe. Il respira. Puis en remit une couche.

— Avec ça, vous ne risquez plus de sortir !

L'étape suivante était plus délicate.

Perché sur sa haute branche, il posa les mains sur le nid. Ses parois étaient robustes, ce qui le rassura. Il le saisit et, d'un coup, le décrocha. Il était lourd, beaucoup plus lourd que prévu. Il manqua de peu de le lâcher et l'imagina une seconde dégringoler, se briser plus bas et provoquer sa perte. Mais il résista. Il résista au poids des ans et des frelons et réussit à se maintenir debout, adossé au tronc, pour caler face à lui, sur la frondaison épaisse, son inquiétante prise. Immédiatement, malgré son équilibre précaire, il s'attela à l'enduire totalement de pâte d'argile pour mieux confiner la calamité qu'il renfermait.

Quand il eut fini, il l'enveloppa dans un drap et l'enroula dans un filet de corde, puis la fit descendre *piano piano*.

Son dos et ses bras étaient mis à rude épreuve, mais sa volonté et ses mains fermes ne faiblirent pas.

Une fois le nid au sol, le Don essoufflé lâcha la corde.

— Maintenant à mon tour de regagner la terre ferme ! haleta-t-il.

Redescendre d'un tel arbre était aussi risqué que l'escalader, et il entama cette ultime étape avec sa maigre énergie de réserve. Il jaugea le vide sous ses pieds incertains et après une grande respiration, se lança.

— Advienne que pourra !

Alternant la descente en rappel et les pas chassés croisés, il parvint enfin à poser les pieds par terre. Il s'effondra sur le sol. Staka vint le humer.

« Bravo, mon vieux ! Tu vois, je n'aurai pas encore à organiser tes funérailles ! »

Le Don resta un moment sans bouger, récupérant de ses efforts.

Contrarié, il ne savoura pas son succès.

Il était face au nid englouti dans l'argile, désormais semblable à un tombeau.

Qu'allait-il en faire, maintenant qu'il l'avait condamné ?

Allait-il laisser ses adversaires étouffer jusqu'à la mort ?

Même si la logique triviale lui réclamait d'agir en ce sens, l'idée lui paraissait insoutenable. Pour qui se prenait-il, à les éradiquer de la sorte ?

Quel était son véritable rôle dans cette histoire ? Apiculteur ou Dieu ?

Toute sa vie, il s'était cantonné à ce premier rôle qui l'épanouissait. Il élevait ses filles, leur inculquait les comportements hygiéniques nécessaires à leur survie et à leur défense. Si seulement il pouvait leur apprendre l'amas ardent. Si seulement il était une reine capable d'inculquer à ses filles le précieux secret de l'amas ardent.

Mais seule une reine avait ce don. Il n'était qu'un homme, et il allait devoir détruire. Un nid de frelons, mais de frelons vivants. Devoir. Était-ce la seule issue ?

Cela lui posait un cas de conscience.

— Aide-moi, mon Dieu, à être bon !

Il ôta son casque, l'accrocha à sa taille. Il chargea le nid sur le dos de Staka, le maintint avec des cordes puis tira sur la bride. Il avait tout le chemin du retour pour débattre avec ses voix intérieures et régler son cas de conscience.

— Allons, Staka ! On rentre à la cabane. Je n'ai pas la force de chercher la charrette. On reviendra demain.

Ils descendirent le flanc de la montagne pour regagner la route et repartir vers Nawa.

Ils n'étaient plus qu'à quelques encablures de la piste qui longeait la frontière quand le Don aperçut plus bas les trois jeeps patrouiller. Elles exécutaient leur ronde matinale en file indienne et amorçaient sous ses yeux un étroit virage. Il continuait de descendre le versant, plongé dans ses pensées, quand un bruit extraordinaire l'arracha à sa bulle, faisant se cabrer Staka jusqu'à le faire tomber par terre. Il se releva, un brin étourdi, et fut témoin de la scène.

Le guet-apens venait de se refermer sur les gardes frontaliers.

Une puissante mine artisanale explosa sous la dernière jeep du convoi. Catapulté en l'air, le réservoir embrasé, le véhicule atterrit toit contre terre et devint boule de feu.

Sous l'effet de la surprise, les deux jeeps de tête freinèrent sec. C'est là que la katiba embusquée fit irruption, de face et des flancs, hurlant que « Dieu est grand ». Ils étaient une quinzaine d'hommes à vider kalachnikovs et grenades sur les deux premières jeeps bloquées par la troisième en flammes.

Dans l'étroitesse du virage, les manœuvres pour fuir et faire marche arrière étaient désespérées et les voitures se rentrèrent dedans.

Les assaillants continuèrent de refermer leur piège. Ils avançaient lentement vers la patrouille, la canardant davantage. Les armes automatiques crachaient la mort à haute fréquence. Sous l'impact des balles, vitres et tôles furent transpercées et chairs et os déchiquetés. Le pourpre inonda le sol.

Après de longues minutes, les tirs s'arrêtèrent et les monstres tonitruèrent.
— Victoire ! Victoire !
— Dieu est grand !
— Dieu est grand !

Le brouhaha arriva jusqu'à ses oreilles. Mais quel Dieu vénéraient-ils ?

Avec ses compères, Toumi ouvrit les portières défoncées. À l'intérieur, un bain de sang dans lequel gisaient les corps mutilés. Tous les patrouilleurs avaient reçu plusieurs tirs de gros calibre et certains en étaient démembrés. Quelques-uns avaient reçu des balles en pleine tête et étaient décédés sur le coup. D'autres rendaient leur dernier souffle sur la banquette.

L'émir sortit une caméra et la mit en marche.

— Égorgez-les jusqu'au dernier ! ordonna-t-il.

Dans son champ de cadrage, Toumi et ses compères allongèrent les corps sur le ventre, se placèrent derrière eux, les tinrent par leurs scalps et sortirent leurs longs couteaux.

Toumi hérita d'un agonisant. Quand il le prit par les cheveux, il aperçut son visage ensanglanté et ses yeux qui flirtaient avec la mort. Il était comme lui, dans la fleur de l'âge, à peine un roseau, bientôt coupé. Il ferma les yeux, il ne voulait pas le regarder, et appuya le couteau sous sa gorge.

— Abu Bouk, déploie donc le drapeau noir derrière eux ! Attendez, que je vous donne le top. Je ne vous ai pas tous dans le cadre, dit l'émir, reculant de quelques pas.

Il était focalisé sur son écran, et quand il fut satisfait de son plan, il commença à enregistrer en professant :

— Aujourd'hui, en ce jour de gloire, grâce à Dieu, nous...

Mais il fut interrompu par l'apparition d'une silhouette à l'arrière-plan. Il leva le regard et vit venir vers eux un vieillard de blanc vêtu, portant entre ses mains une jarre en argile.

— D'où il sort, celui-là ? dit-il avant de crier : Qui es-tu ?

Interloqués par cette présence improbable, tous se figèrent. Le Don s'arrêta à leur hauteur, entre la jeep en flammes et les autres devenues passoires, au milieu des mares de chair et de sang, là où des hommes étaient sur le point d'égorger d'autres hommes.

Entre ses mains, des bêtes animées par leur instinct et face à lui, des êtres animés par leur libre arbitre. De ces créatures empêtrées dans l'argile, qui étaient les véritables monstres ?

Il était dévasté...

Il reconnut Toumi qui esquivait son regard, malgré sa barbe d'homme des cavernes et son visage éclaboussé de sang. Il tenait par le scalp un soldat sur le point de rendre l'âme. Le Don le reconnut aussi. C'était celui qui l'interpellait lors des rondes. Il n'aurait plus l'occasion de le faire. Il ne l'appellerait plus ni « Haj » ni « Monsieur ». Bientôt il s'éteindrait, comme ses camarades, fauchés avant l'heure, jeunes vies sacrifiées sur l'autel de l'absurde.

Sa voix révoltée mit fin aux échos de « Dieu est grand » qui résonnaient encore dans la montagne.

— C'est Dieu qui t'a demandé de faire ça, Toumi ? tonna le Don.

Toumi baissa les yeux et l'émir l'apostropha :

— Tu connais ce vieillard ?

— Oui. Je le connais... Émir, ce n'est qu'un pauvre villageois, laisse-le partir, dit-il d'une voix faible.

L'émir pointa son arme sur le Don :

— Tu entends, vieil homme ? Dépêche-toi de déguerpir ! On fait la guerre sainte ! La guerre au nom de Dieu !

— Dieu ne défait pas les justes, poursuivez donc la guerre !

D'un geste absolu, il fracassa le nid par terre et ce dernier se fendit en deux. Dans la seconde, des milliers de frelons géants, hystériques, envahirent la scène. Eux qui criaient vengeance depuis l'aube n'attendaient que d'être délivrés pour passer à l'attaque.

Le Don décrocha de sa taille son casque d'apiculteur et se protégea de l'épilogue.

Instantanément, sans avertissement, les frelons géants prirent les hommes en chasse. En un clin d'œil, chacun d'entre eux se trouva au centre d'un nuage de bêtes rendues folles, subissant les foudres de leur fureur. Survoltées, elles chargeaient en nombre, couvraient mains et visages, s'agrippaient aux touffes de barbe et de cheveux, s'engouffraient dans les plis des kamis et des turbans, piquant et mordant sans relâche. Leurs armes qu'ils pensaient puissantes ne leur

étaient d'aucun secours. Courir à bride abattue ?
Jusqu'où, avant de se prendre les pieds dans le
tapis, de rouler par terre et de succomber aux
attaques de milliers de chasseurs hors pair ?

En un rien de temps, les cris de triomphe se
transformèrent en cris d'effroi et d'horreur, et
les vainqueurs furent vaincus. La katiba fut déci-
mée, chacun de ses membres évanoui dans le
maquis, noyé dans le nuage de son châtiment.

Le Don balaya de la visière de son casque
quelques frelons, il en avait assez vu.

Il partit récupérer Staka et reprit le chemin
du village, maudissant dans son cœur l'émir, sa
katiba, tous les assassins et les marchands de
guerres qui prostituaient Dieu à leurs fins. Ce
Dieu qui, par la douceur de Ses abeilles, arrivait
encore à le consoler de la cruauté des hommes.

33.

Assis dans son jardin, le Don regardait Farah
courir entre les ruches, volant avec les nouvelles
générations d'abeilles, amusée par leur bal dan-
sant. Elle avait trois ans maintenant, ne parlait
pas bien encore, mais ses yeux étaient les plus
expressifs du monde. Elle venait souvent lui
rendre visite. Quand elle riait, il était difficile
de ne pas succomber à l'appel de la joie et de

ne pas rire avec elle de la beauté élémentaire de la vie.

Comme l'avait promi Kisuke Ukitake, Aya[1] – c'est le nom qu'il lui avait donné – s'avéra être une belle reine, travailleuse et charismatique. Quand Jannet l'avait mise entre ses mains, dans son petit cageot, il était si heureux que ses yeux brillaient sous un voile limpide.

— Que tu es belle, Aya ! Bienvenue dans ta nouvelle maison !

Avec ses gestes bienveillants et sa science d'apiculteur, il l'avait introduite dans une ruche où elle se fit accepter. Elle ne tarda pas à donner naissance à plusieurs générations de butineuses et à de nouvelles reines prometteuses.

Avait-elle transmis son savoir ? Ses abeilles sauraient-elles se défendre contre les monstres ? Il l'ignorait.

Depuis leur dernier affrontement, il avait capturé quelques frelons qui rôdaient autour de ses colonies. Mais ils n'étaient plus venus en nombre.

Lui n'était plus reparti chasser leurs nids. Il avait accepté qu'ils soient là, cachés, menaçants. Tout ce qu'il espérait, c'était que ses filles soient prêtes le jour où ils resurgiraient des bois.

---

1. *Aya* veut dire « miracle » en arabe, mais aussi beauté sauvage en japonais.

Table

12148

Composition
FACOMPO

*Achevé d'imprimer en Espagne
par* CPI BOOKS IBERICA
le 28 novembre 2023.

Dépôt légal : mai 2019.
EAN 9782290165089
OTP L21EPLN002437-626293-R3

ÉDITIONS J'AI LU
82, rue Saint-Lazare, 75009 Paris

Diffusion France et étranger : Flammarion